FALANDO...
LENDO...
ESCREVENDO...

PORTUGUÊS
Um Curso Para Estrangeiros

NOVO MANUAL
DO PROFESSOR

**Dados de Catalogação na Publicação (CIP) Internacional
(Câmara Brasileira do Livro, SP, Brasil)**

Forst, Gabriele.
    Falando -- lendo -- escrevendo -- português para
estrangeiros : novo manual do professor / elaborado
por Gabriele Forst, com a colaboração das autoras do
livro texto Emma E.O.F. Lima e Samira A. Iunes. --
São Paulo : EPU, 1989.

    Bibliografia.
    ISBN 85-12-54921-1

    1. Português - Estudo e ensino - Estudantes estran-
geiros I. Lima, Emma Eberlein O.F. II. Iunes, Samira A. III. Título.

89-1560   CDD-469.824

Índices para catálogo sistemático:

    1. Português : Livros-texto para estrangeiros
        469.824
    2. Português para estrangeiros 469.824

FALANDO...
LENDO...
ESCREVENDO...

PORTUGUÊS
Um Curso Para Estrangeiros

NOVO MANUAL
DO PROFESSOR

Elaborado por
Gabriele Forst
com a colaboração das
autoras do livro texto

Emma E. O. F. Lima e Samira A. Iunes

E.P.U. EDITORA PEDAGÓGICA
E UNIVERSITÁRIA LTDA.

RESPEITE O DIREITO AUTORAL
ESTIMULE A CRIATIVIDADE

Se você acha a Educação cara,
experimente a Ignorância

ISBN 85-12-54921-1

E.P.U. — Praça Dom José Gaspar, 106 (Galeria Metrópole) —
3.ª sobreloja, n.º 15 — 01047 — Caixa Postal 7509 — 01051 — São
Paulo — Brasil — Tel. (011) 259-9222
Impresso no Brasil   Printed in Brazil

Sumário

Prefácio

O presente manual para o professor explica as características da obra, descreve seus elementos componentes e oferece a base metodológica que deve nortear o uso do livro. As sugestões didáticas referentes a todas as unidades da obra apresentam o conteúdo do livro e de cada componente da unidade, através de quadros sinópticos. Também oferecem modelos para a preparação e apresentação dos textos assim como para a explicação e prática dos itens gramaticais.

A autora

Abreviações

P: professor

A: aluno

As: alunos

□ • • □ : texto gravado na fita

□ • • □ 1/2/3: só 1/2/3 textos ou canções são gravados na fita

1. Apresentação da Obra

1.1. Objetivo

A obra tem por objetivo ensinar o português; através de um método ativo, situacional, a um público estrangeiro, desejoso de aprendê-lo em nível de linguagem coloquial correta.

O livro se destina a alunos de qualquer nacionalidade, adultos ou adolescentes, estes na faixa etária correspondente ao 2º grau de escolaridade brasileira. A utilização da obra independe do conhecimento específico de outra língua.

O método é um curso básico, completo em si, levando o aluno totalmente principiante a falar, ler e escrever o português em nível intermediário de proficiência, ao mesmo tempo que lhe propicia abertura para a continuação da aprendizagem em etapas mais avançadas.

1.2. Características

A obra

1. desenvolve a comunicação oral e escrita em nível de linguagem coloquial correta;

2. adota a seqüência didática ouvir/ver — entender — falar — ler — escrever;

3. possibilita a estruturação de cursos com ênfase na comunicação oral;

4. transmite as intenções mais necessárias de fala através de situações concretas do cotidiano, a partir de centros de interesse de ordem familiar, social e profissional;

5. aplica vocabulário essencialmente ativo e de uso muito freqüente;

6. apresenta a seqüência gramatical sempre integrada ao contexto;

7. comunica as noções gramaticais de maneira simples, correta e muito concisa;

8. contém um número muito grande de exercícios estruturais de tipos variados, sempre ligados ao contexto;

9. integra, na prática da sala de aula, recursos tradicionais e inovadores;

10. através do Caderno de Testes, permite a avaliação sistemática da aprendizagem e, nesta área, a identificação de falhas individuais;

11. permite o estudo autodidático, com o concurso das fitas, da chave dos exercícios e do glossário.

1.3 Elementos da obra

Falando... Lendo... Escrevendo... PORTUGUÊS — Um curso para Estrangeiros compõe-se, de um livro-núcleo, o livro do aluno, além de Glossários (Português-Alemão, Francês, Inglês), um Caderno de Testes, um livro de Respostas dos Exercícios e dos Testes, um jogo de 3 fitas cassete e o presente Manual do Professor.

2. Estruturação dos elementos da obra

2.1. O livro do aluno

O livro do aluno, com 300 páginas, apresenta 18 unidades.

As unidades de 1 a 10 têm a seguinte estrutura:

a) **Diálogo Principal,** introduzindo estruturas gramaticais novas, e um breve diálogo que retoma as estruturas do diálogo de abertura, ambos seguidos de numerosos exercícios para compreensão e fixação dessas estruturas;

b) **Diálogo Secundário,** vivo e rápido, apresentando novas estruturas gramaticais, seguido igualmente de numerosos exercícios para apreensão e fixação do conteúdo gramatical;

c) **Texto Narrativo** fabricado, com nível de dificuldades crescente, versando sobre assuntos culturais, históricos e geográficos do Brasil.

As unidades 11 a 18 compõem-se de:

a) **Diálogo,** com estruturas gramaticais novas, exercícios variados para apreensão e fixação dessas estruturas;

b) **Contexto,** uma secção que apresenta texto autêntico de imprensa ou de autores nacionais contemporâneos, introduzindo novas estruturas gramaticais, exercícios de compreensão, seguidos de outros para a aprendizagem e fixação das estruturas introduzidas através do texto;

c) **Intervalo,** secção que apresenta, de forma leve e freqüentemente curiosa, expressões idiomáticas, pequenos poemas, canções folclóricas e populares, além de provérbios e símiles;

d) **Texto Narrativo,** com as mesmas características dos textos narrativos das unidades 1 a 10.

O livro do aluno contém ainda, em sua última parte, textos para ditados que deverão ser feitos após as unidades ímpares, um apêndice gramatical para consulta e modelos de conjugações de verbos auxiliares, regulares e irregulares. Um índice de palavras apresentadas no livro completa a obra.

Um livro de exercícios, que geralmente integra métodos que ensinam língua estrangeira, não constitui um componente separado na presente obra. Ele está contido no livro do aluno, pois julgou-se mais prático apresentar todos os exercícios num só volume.

2.2. O glossário

O glossário, em três línguas, facilita a compreensão dos textos e exercícios do livro do aluno, oferecendo traduções contextuais das palavras e expressões usadas nas unidades do livro do aluno.

2.3. Caderno de Testes

Este caderno apresenta nove testes concentrados na seqüência gramatical introduzida ao longo do curso. Os testes devem ser aplicados depois de cada duas unidades, e fornecem elementos seguros para a avaliação da aprendizagem e a identificação de pontos falhos a serem retomados antes de iniciar-se nova unidade.

Todo teste contém um ditado, cujo texto se encontra no final do Caderno, além de estar gravado em fita cassete.

Os testes também podem ser aplicados com o objetivo de medir o conhecimento do aluno novo, não totalmente principiante.

2.4. Respostas dos Exercícios e dos Testes

Este volume apresenta a chave de todos os exercícios do livro do aluno e de todos os testes do Caderno de Testes, bem como contém os textos de compreensão oral usados nos testes 4 a 9 do Caderno de Testes.

2.5. Fitas cassete

As fitas cassete, em número de três, apresentam os diálogos de abertura de todas as unidades, os diálogos secundários das unidades 1 a 10, e os textos de leitura da secção Contexto (unidades 11 a 18).

Nas fitas encontra-se, também, a gravação das canções e dos textos para ditado, tanto os do livro do aluno como os do Caderno de Testes.

2.6. Manual do Professor

O presente manual explica as características da obra, descreve seus elementos componentes e oferece sugestões didáticas referentes a todas as unidades da obra.

As sugestões didáticas apresentam:

1. o conteúdo da unidade e de cada componente da unidade através de quadros sinópticos;

2. sugestões práticas para a preparação e apresentação dos textos assim como para a explicação e prática dos itens gramaticais.

3. Sugestões didáticas referentes às unidades

3.1. Unidade 1

3.1.1. Conteúdo da unidade

Textos	
	●● Diálogo 1: Como vai? (Apresentação) ●● Diálogo 2: Onde? ●● Texto Narrativo: No aeroporto ●● Ditado
Itens gramaticais	
	— Artigo definido no singular e no plural **o, a, os, as** — Contração do artigo com as preposições e m e **de: no, na, nos, nas; do, da, dos, das** — Presente do indicativo dos verbos regulares em – **ar** — Presente do indicativo dos verbos irregulares **ser** e **estar** — Negação simples com n o — Interrogação — Interrogação com **onde?, de onde?** — **muito** como indefinido e como advérbio

3.1.2. Sugestões práticas para o ensino

3.1.2.1. Como vai?

Gramática	
	— Presente do indicativo dos verbos **ser** e **estar** na primeira e terceira pessoa (eu, você, ele) — Presente do indicativo dos verbos regulares em – **ar** na primeira e terceira pessoa (eu, você) — Artigo definido no singular: **o, a** — Contração do artigo com as preposições **em** e **de** no singular: **no, na; do, da** — Interrogação sem partícula interrogativa — Interrogação com **como** e **de onde** (**onde**-no exercício D)
Estruturas	
	— O senhor é _____ — Eu sou _____ — O senhor mora em _____ — Eu moro no / na _____ — Como se chama? — De onde _____? — Aqui estão _____ — Sou, sim. — Não, não sou.
Expressões	
	em ordem — hoje mesmo — boa sorte!

Preparação e apresentação do texto

Antes de ler o diálogo ou tocar sua gravação, o professor deverá introduzir algumas estruturas gramaticais e palavras novas do texto em português. Assim os alunos alcançarão facilmente a compreensão do texto, praticarão já a gramática e o léxico e familiarizar-se-ão com a fonética da nova língua.

A introdução deverá ser feita com exercícios comunicativos que desenvolverão as estruturas e o léxico do diálogo de abertura. Os exercícios para a introdução deverão ser ligados às situações reais de todos os dias e à vida do aluno. Como o primeiro diálogo corresponde à situação do primeiro dia da aula o professor começa perguntando pelos nomes e sobrenomes.

1. P: Bom dia! Sou Gabriele Forst. E você / o Senhor / a senhora? Como se chama?
   (*dirigindo-se ao aluno*)
   A: Peter Müller.
   P: Muito prazer.

Depois da resposta do aluno, o professor escreverá as frases na lousa e continuará perguntando aos alunos, variando entre você, o senhor, a senhora.

Em seguida, os alunos farão o mesmo exercício entre si.

2. P: Moro em_____. E você / o senhor / a senhora?
   Onde você / o senhor / a senhora mora? (*dirigindo-se ao aluno*)
   A: Moro em_____.

Como anteriormente, o professor escreverá tudo na lousa e continuará fazendo perguntas aos alunos. Se algumas pessoas vivem na mesma cidade, o professor poderá introduzir "também". Em seguida os alunos farão o exercício entre si.

3. P: O senhor mora em_____? (*dirigindo-se ao aluno em voz baixa: Moro, sim.*)
   A: (*o aluno repete*) Moro, sim.

O exercício se fará como 1 e 2.

4. P: O senhor mora em_____? (*dirigindo-se em voz baixa ao aluno: Não, não moro.*)
   A: (*o aluno repete*) Não, não moro.

O exercício se desenvolve como os outros.

5. P: Sou de_____. E você / o senhor / a senhora?
   De onde você / o senhor / senhora é?
   A: Sou de_____.

O resto do exercício será feito como os anteriores

6. P: Eu moro em_____ mas sou de_____. E você / o senhor / a senhora?
   A: Eu sou de_____ mas moro em_____. *ou*: Eu sou de_____ e moro também em_____.

O resto do exercício será feito como os anteriores.

Alcançado o conhecimento das estruturas e palavras, os alunos, com seus livros fechados, ouvirão duas vezes o diálogo de abertura através da fita ou da leitura pelo professor. Em seguida abrirão seus livros e ouvirão novamente o diálogo. O professor deverá dar brevemente algumas explicações sobre o vocabulário.

Alcançada a compreensão do diálogo, os alunos, em seguida, o lerão em voz alta. Nas primeiras unidades aconselha-se ao professor que leia uma fala ou um período para que, em seguida, passo a passo e no mesmo ritmo, os alunos o repitam. Superada essa fase, os alunos deverão ler o diálogo algumas vezes, variando a forma de leitura, até que o façam com facilidade. Os erros de entonação e de pronúncia devem ser corrigidos cuidadosamente até que cada aluno consiga ler o diálogo da melhor maneira possível.

Nesse momento, o professor poderá ler o diálogo inteiro, fala por fala, e pedir aos alunos que repitam com o livro fechado.

Aos alunos com grande dificuldade de pronúncia, o uso sistemático das fitas em aula e em casa é duplamente aconselhável.

Em seguida, o professor explicará algumas regras da pronúncia do português que são importantes ou que diferem da língua materna do aluno.

Em seguida, o professor fará algumas perguntas, a respeito do conteúdo do texto. Por ex.: De onde é o novo engenheiro? / O novo engenheiro mora em Ouro Preto? etc.

Explicação e prática dos itens gramaticais

As estruturas gramaticais, que já estão integradas no diálogo, devem ser desenvolvidas de maneira clara e concisa antes de se iniciarem os exercícios. Em seguida os exercícios devem ser feitos oralmente para que os itens gramaticais sejam fixados.

Exercício A:

Os itens gramaticais a serem desenvolvidos neste exercício são: a resposta afirmativa e o presente do indicativo do verbo *ser* na primeira e terceira pessoa do singular.

O professor deverá extrair do diálogo a passagem que introduz o assunto:

O senhor é o novo engenheiro? Sou, sim.

Em seguida lerá o exemplo do exercício e escreverá na lousa o infinitivo do verbo ser com as duas formas eu sou; você / ele / ela é, para explicitar o verbo.

Agora os alunos deverão fazer o exercício oralmente. O exercício deverá ser feito em corrente: um aluno volta-se para o vizinho e pergunta: O senhor é diretor? O segundo aluno dará a resposta: Sou, sim. Em seguida, fará a pergunta ao terceiro aluno, assim por diante.

Exercício B

A noção gramatical a ser desenvolvida é a negação com não.

O professor explica, através de gestos adequados, a diferença entre as duas respostas acentuando não:

O senhor é engenheiro? Sou, sim.

Não, não sou.

Em seguida os alunos farão o exercício B.

Agora o professor poderá fazer mais um exercício, de natureza comunicativa a respeito dos itens gramaticais desenvolvidos no exercício A e B.

Em primeiro lugar todos os alunos deverão procurar suas profissões no dicionário e, depois, o professor começará por perguntar pelas profissões:

P: Sou professor. E você / o senhor / a senhora? Qual é sua profissão?
A: Sou médico.
P: Você é médico? *variando com*: Você é estudante?
A: Sou, sim. Não, não sou.

O professor fará as perguntas mais vezes, provocando uma vez, uma resposta afirmativa outra, uma resposta negativa.

Em seguida os alunos continuarão fazendo perguntas entre si.

Exercício C:

O item gramatical a ser desenvolvido é o uso de "de, do, da"

Como anteriormente, o professor deverá indicar ao aluno a passagem onde se encontra a estrutura:

De onde o senhor é? Sou de Ouro Preto.

Em seguida, o professor lerá os exemplos no livro e esclarecerá a diferença explicando, por exemplo:

de Belo Horizonte = de + cidade
do Japão = de + o + país
da Itália = de + a + país

Agora o exercício será feito pelos alunos, da mesma forma como foram feitos A e B.

Exercício D:

O assunto gramatical deste exercício é a formação e o uso de "em, no, na".

12

Como anteriormente, o professor extrairá a passagem do diálogo:
_____moro em São Paulo.
O senhor mora no centro da cidade.
O senhor mora na Avenida Paulista.

Em seguida, o professor lerá o exemplo e explicará:
Moro em Belo Horizonte. (em + cidade / sem artigo.)
Moro no Rio de Janeiro. (em + o = no)
Moro na Avenida Paulista. (em + a = na)

Para completar a explicação, o professor informará que países, via de regra, são precedidos de artigo e cidades não. Para fixar a regra, far-se-á um exercício em corrente:
— De onde você é?
— Eu sou de Berlim, na Alemanha. E você? De onde você é?

3.1.2.2. Onde?

Gramática	
	— Presente do Indicativo dos verbos irregulares **ser** e **estar**
	— Presente do Indicativo dos verbos regulares em – **ar**
	— Plural dos substantivos
	— Artigo definido no plural: **os, as**
	— Contração do artigo com as preposições **em** e **de** no plural: **nos, nas; dos, das**
	— **muito** como indefinido e como advérbio.
Estruturas	
	— Onde está _____?
Expressões	
	— Adivinhe!

Preparação e apresentação do texto

Antes de ler o diálogo, ou tocar sua gravação, o professor deverá introduzir algumas estruturas gramaticais e palavras novas do texto em português através de um exercício.

Para a realização do exercício de introdução o professor levará à aula alguns objetos nomeados no diálogo e outros objetos, por exemplo: dois livros, chaves da porta, chaves do carro, uma carteira, óculos, documentos, três copos, duas xícaras, duas carteiras e uma bolsa.

Em seguida o professor mostrará os objetos para os alunos, dirá como se chamam e perguntará onde estão.

Modelo:

P: O livro (*mostrando um livro*)

13

A bolsa (*mostrando uma bolsa*)
(*Depois, o professor porá o livro na bolsa e perguntará a um aluno*):
Onde está o livro?
(*O professor, em voz baixa ao aluno: O livro está na bolsa.*)
A: (*O aluno repete*) O livro está na bolsa.
P: Os livros (*mostrando dois livros*)
Onde estão os livros? (*pondo os livros na bolsa, dirigindo-se, em voz baixa, a um aluno: Os livros estão na bolsa.*)
A: (*O aluno repete*) Os livros estão na bolsa.
P: As carteiras (*mostrando duas carteiras*)
P: A bolsa (*mostrando a bolsa*)
Onde estão as carteiras? (*pondo as carteiras na bolsa*)
A: As carteiras estão na bolsa.

O professor repete todas as respostas dos alunos para que todos os alunos ouçam a resposta correta claramente e para que as respostas erradas ou incompletas sejam corrigidas e completadas.

Depois o professor escreverá *o livro, os livros, a carteira, as bolsas* na lousa e explicará o artigo definido masculino e feminino no singular e no plural e a formação do plural dos substantivos.

Em seguida o professor escreverá as frases seguintes na lousa explicando as formas **está** e **estão** do verbo **estar**.

O livro **está** na bolsa.

As carteiras **estão** na bolsa.

Dadas as explicações, o professor continuará o exercício, variando os objetos.

Apresentado o nome de todos os objetos, os alunos poderão, entre si fazer a pergunta.

Onde está, estão_____? e respondê-la.

Introduzidas as estruturas e palavras novas, o professor deverá apresentar o diálogo "Onde?" da mesma forma como apresentou o diálogo de abertura "Como vai?": livros fechados, os alunos ouvirão duas vezes a fita ou a leitura feita pelo professor. Livros abertos, o diálogo será ouvido, pela terceira vez.

Depois das explicações necessárias à compreensão, os alunos lerão o diálogo. Como anteriormente, a pronúncia deverá ser corrigida para que o aluno consiga falar no limite máximo de sua capacidade individual.

Em seguida o professor fará algumas perguntas a respeito do conteúdo do texto, por exemplo:

Onde estão as chaves do carro?

As chaves da porta estão na gaveta da mesa? etc.

14

Explicação e prática dos itens gramaticais

As estruturas gramaticais, que já estão integradas no diálogo, devem ser desenvolvidas de maneira clara e concisa antes de se iniciarem os exercícios.

Exercício A:

Os itens gramaticais a serem desenvolvidos neste exercício são os artigos masculino e feminino no plural **os, as,** a contração do artigo com **em** e **de** e as formas do verbo **estar** na terceira pessoa singular e plural.

Como o artigo e o substantivo no plural e também as formas do verbo **estar** já foram explicados, o professor deverá apenas chamar a atenção dos alunos para as contrações das preposições **em** e **de** no plural, através das frases do exemplo à página 4 do livro do aluno.

Agora, os alunos deverão fazer o exercício oralmente. O exercício deverá ser feito em corrente. Um aluno volta-se para o vizinho e pergunta: Onde está a secretária? O segundo aluno dará a resposta. Está na sala do presidente. Em seguida, fará a próxima pergunta ao terceiro aluno e assim por diante.

O pequeno diálogo

Antes de ler o pequeno diálogo na página 5, o professor poderá fazer um exercício comunicativo, introduzindo as formas novas dos verbos ser, estar e morar.

1) P: Andrea e Harald, vocês são estudantes de português?
   (*indicando as duas pessoas e depois dirigindo-se em voz baixa, a um dos dois:* Somos, sim.)
   A: (*o aluno repete*) Somos, sim
   P: Marion e Roger, vocês são médicos? (*dirigindo-se a um dos dois*)
   A: (*O aluno fala*) Não, não somos.

Depois da resposta do aluno, o professor escreverá os exemplos na lousa e continuará o exercício provocando respostas afirmativas e negativas. Os alunos farão o exercício entre si.

2) P: Marion e Roger, vocês moram no Rio? (*dirigindo-se, em voz baixa, a um dos dois*: Não, não moramos.)
   A: (*o aluno repete*) Não, não moramos.
   P: Andrea e Harald, vocês moram em_____? (*dirigindo-se a um dos dois: Moramos, sim.*)
   A: (*o aluno repete*) Moramos, sim.

Como anteriormente, o professor escreverá os exemplos na lousa e continuará fazendo perguntas aos alunos. Depois, os alunos farão o exercício entre si.

15

3) P: Vocês estão no consultório do médico? (*dirigindo-se, em voz baixa, a dois alunos*: Não, não estamos.)
   As: (*os alunos repetem*) Não, não estamos.
   P: Marion e Roger, vocês estão na aula? (*dirigindo-se a Marion e Roger*)
   As: Estamos, sim.

Como antes, o professor escreverá os exemplos na lousa e continuará o exercício provocando respostas afirmativas e negativas.

Depois os alunos farão o exercício entre si.

Em seguida, com os livros abertos, o professor lerá o diálogo.

Depois os alunos repetirão e o lerão em grupos outra vez.

Após alcançada a leitura do texto será feito o pequeno exercício.

Exercício A:

A noção gramatical a ser desenvolvida é a conjugação do verbo **ser** no Presente do Indicativo.

Para a explicação da conjugação, o professor escreverá todas as formas do verbo **ser** na lousa.

Em seguida, os alunos deverão fazer o exercício por escrito e depois, oralmente, para que o aluno consiga aprender a conjugação.

Exercício B:

O item gramatical a ser desenvolvido é a conjugação dos verbos regulares em – ar.

Como anteriormente, o professor escreverá a conjugação do verbo **morar** na lousa. Em seguida, explicará a formação regular dos verbos em – ar, conjugando outros verbos regulares em – ar, como, por exemplo, **começar, andar.**

Agora o exercício será feito pelos alunos, primeiro, por escrito e, depois oralmente.

Feito o exercício B, o professor poderá fazer um exercício adicional comunicativo com a finalidade de fixar a conjugação verbal em – **ar.**

P: Você fala alemão?
A: Falo, sim. *ou*: Não, não falo.
P: Vocês falam inglês?
A: Falamos, sim. *ou*: Não, não falamos.
E assim por diante.

Exercício C:

A noção gramatical a ser desenvolvida é a conjugação do verbo **estar** no Presente do Indicativo.

Como anteriormente, o professor escreverá a conjugação na lousa.
Depois o exercício será feito como A e B.

Exercício D:

A interrogação com o advérbio interrogativo onde é praticada no exercício D.

O exercício será feito em corrente: um aluno perguntará a seu vizinho: Onde está o diretor? O segundo aluno dará a resposta: Está na fábrica. Depois, fará a pergunta seguinte a um terceiro aluno e assim por diante.

Exercício E:

O conteúdo do exercício E é a interrogação sem advérbio interrogativo. O exercício será feito como D.

3.1.2.3. Texto Narrativo — No aeroporto

Observação importante:

Até a Unidade 4, o vocabulário do texto narrativo é controlado, embora sua dificuldade seja crescente. Já na Unidade 5, e, claramente, a partir da Unidade 6, os textos narrativos, sempre versando sobre cultura brasileira, apresentam vocabulário aberto, sem o controle de dificuldade que orientou a composição dos diálogos e exercícios da unidade. Sua finalidade é habilitar o aluno, desde cedo a ler textos de imprensa. Levando em conta este objetivo, o aluno deverá apenas ouvir/ler e compreendê-lo. Entendido o texto, ele responderá às perguntas que o seguem, desaconselhando-se, vivamente, exercícios que visem à fixação do vocabulário ou das estruturas gramaticais novas. Caso o professor queira, em seu curso, desenvolver principalmente a comunicação oral, os textos narrativos poderão ser deixados de lado, sem prejuízo da aprendizagem, pois suas estruturas e vocabulário não são integrados ao conteúdo necessariamente acumulado pelo aluno.

Gramática
— **muito** como advérbio
— **muito** como pronome adjetivo indefinido
Estruturas
— Gostamos muito desta cidade.

Preparação e apresentação do texto

Antes de ler o texto, o professor deverá introduzir algumas estruturas gramaticais e palavras novas do texto narrativo.

A introdução deverá ser feita com slides ou fotos do Rio de Janeiro e São Paulo, mas poderá ser feita, também, com material fotográfico de outra cidade com montanhas, praias, um aeroporto e indústria.

Mostrando os slides ou fotos, o professor deverá explicar as palavras novas: aeroporto, cidade, cidade industrial, muitas praias, montanhas etc.

Alcançando o conhecimento das palavras, o professor fará perguntas simples sobre as fotos.

Em seguida poderá introduzir a estrutura gostar de + substantivo ou gostar de + verbo no infinitivo com um exercício comunicativo.

1) P: Você gosta de São Paulo? (*mostrando uma foto de São Paulo*)
   A: Gosto, sim, *ou*: Não, não gosto.
   P: Vocês gostam das praias do Rio de Janeiro? (*mostrando uma foto das praias cariocas*)
   A: Gostamos, sim *ou*: Não, não gostamos.
   P: Você gosta de morar em (*cidade do curso*)?
   A: Gosto, sim. *ou*: Não, não gosto.

Depois, o professor escreverá as duas perguntas na lousa: "Você gosta de São Paulo?" e "Você gosta de morar em_____?" explicando a estrutura **gostar** de + **substantivo** e gostar de + verbo no infinitivo. Essa estrutura deve ser tratada com cuidado por ser uma estrutura difícil para quem aprende o português como língua estrangeira.

Em seguida o professor continuará o exercício introduzindo também "gosto muito de + substantivo/ + verbo no infinitivo".

Compreendidas as palavras e estruturas novas, os alunos lerão o texto narrativo.

Com a finalidade de testar a compreensão geral do texto, sem o conhecimento de todas as palavras, o professor fará na lousa, ou oralmente algumas afirmações. Os alunos deverão dizer se as frases, segundo o texto, estão certas ou erradas.

Modelo:

	Certo	Errado
1. Estou no aeroporto do Rio de Janeiro.		
2. Paulo e Luísa são cariocas.		
3. São Paulo é uma cidade com muitas praias.		
4. Somos paulistas.		

Feito o exercício, o professor deverá retomar o texto e dar as explicações necessárias sobre o vocabulário.

A noção gramatical integrada no texto a ser explicada para o conhecimento passivo dos alunos é sobre a palavra **muito** funcionando como advérbio e como pronome adjetivo indefinido.

O professor deverá extrair do texto narrativo as passagens que introduzem o assunto:

O Rio de Janeiro é uma cidade bonita, com **muitas** praias.

Explicação: **Muito** é um pronome adjetivo quando modifica substantivos. Em tal caso, varia de acordo com o substantivo a que se refere.

Gostamos **muito** desta cidade.

Explicação: **Muito**, como advérbio de intensidade, ou seja, quando modifica adjetivo, verbo ou outro advérbio, permanece invariável.

Em seguida, o professor poderá fazer um exercício de expressão oral.

O exercício será feito com ajuda de slides ou fotos.

O professor mostrará fotos de uma cidade e descreverá a cidade projetada.

Poderá dar suas explicações também na língua materna do aluno se for necessário. Depois os alunos, sozinhos ou em grupos, farão uma descrição da cidade apresentada pelos meios visuais. Deverão dizer, também, se gostam da cidade, das praias etc. ou se não gostam delas. Para essa atividade, poderão usar o dicionário.

O exercício será corrigido pelo professor oralmente em aula ou, posteriormente, em casa.

Depois, os alunos completarão a unidade, fazendo os exercícios A e B e o ditado, cujo texto se encontra à p. 262.

3.2. Unidade 2

3.2.1. Conteúdo da unidade

Textos
••Diálogo 1: A cidade (localização)
••Diálogo 2: No telefone
Texto Narrativo: uma cidade pequena

Itens gramaticais
— Artigos indefinidos: **um, uma**
— Pronomes adjetivos demonstrativos: **este, esta, estes, estas**
— Pronomes adjetivos possessivos: **meu, minha, meus, minhas**
— Advérbios de intensidade: **muito, pouco**
— Contrações dos pronomes adjetivos demonstrativos com as preposições **em** e **de: neste**(s), **nesta**(s), **deste**(s), **desta**(s)
— Presente do Indicativo dos verbos regulares em – er
— Presente do Indicativo dos verbos irregulares **ir** e **ter**
— Presente do Indicativo do verbo irregular **haver** na terceira pessoa: **há**
— Presente Contínuo dos verbos em – ar e – er

Caderno de Testes:
Teste 1.

3.2.2. Sugestões práticas para o ensino
3.2.2.1. A cidade

Gramática	— Artigos indefinidos: **um, uma** — Pronomes adjetivos demonstrativos: **este**(s), **esta**(s) — Contrações dos pronomes adjetivos demonstrativos com as preposições **em** e **de**: **neste**(s), **nesta**(s); **deste**(s), **desta**(s) — Pronome adjetivos possessivos: **meu**(s), **minha**(s) — Presente do Indicativo dos verbos irregulares **ir** e **ter** — Presente do Indicativo do verbo irregular **haver** na terceira pessoa singular: **há** — Advérbios de intensidade **muito, pouco**
Estruturas	— gostar de — gostar dele(s)/ dela(s) — gostar do(s)/ da (s) — Para onde_____? — Vamos para_____ — Quero + infinitivo — ir a pé, de ônibus etc. — ter tempo — ter 15 anos — ter azar — aqui – ali – lá
Expressões	— que azar! — não foi nada

Preparação e apresentação do texto

Antes de ler o diálogo de abertura, o professor deverá introduzir algumas de suas palavras e estruturas novas.

Uma das possibilidades para a introdução das palavras e estruturas novas será através de slides ou fotos. O professor poderá levar à aula fotos ou slides: um centro da cidade, um ônibus, uma cidade antiga, prédios antigos, subúrbios, uma Estação Rodoviária, um correio, uma prefeitura etc.

O Professor mostrará as fotos, nomeará os objetos e fará perguntas sobre eles.

P: um prédio (*mostrando a foto de um prédio*)

20

O que é isso? (*perguntando aos alunos*)
A: É um prédio.
P: uma cidade antiga (*mostrando a foto de uma cidade antiga*)
   O que é isso?
A: É uma cidade antiga.

Depois da resposta do aluno, o professor escreverá **um prédio e uma cidade antiga,** na lousa explicando o emprego dos artigos indefinidos. Em seguida, continuará o exercício introduzindo o resto das palavras novas.

Mais tarde, os alunos farão o exercício entre si.

Alcançado o conhecimento das palavras e estruturas novas o diálogo de abertura será apresentado como todos os diálogos do livro: livros fechados, os alunos ouvirão duas vezes a fita ou leitura feita pelo professor.

Livros abertos, o diálogo será ouvido, pela terceira vez. Depois das explicações necessárias à compreensão, sempre concisas, os alunos lerão o diálogo em voz alta. A pronúncia deverá ser corrigida para que o aluno consiga falar no limite máximo de sua capacidade individual.

Os alunos poderão ler o diálogo em grupos e o professor passará por eles para corrigir a pronúncia de cada aluno.

Depois, o professor fará perguntas a respeito do diálogo.

O pequeno diálogo que segue deve ser lido uma vez pelo professor e repetido pelos alunos. Ele não deverá oferecer maiores dificuldades, pois retoma as estruturas do diálogo de abertura.

Com a finalidade de praticar e aumentar o vocabulário, o professor fará um exercício de transferência com o pequeno diálogo.

Para a realização do exercício levará fotos ou desenhos de meios de transporte e cartões com indicações de lugares na aula.

Em primeiro lugar, mostrará as fotos ou desenhos, dos meios de transporte, e escreverá o vocabulário na lousa.

Depois, mostrará um cartão com a indicação do lugar e uma foto ou um desenho de um meio de transporte.

Os alunos deverão, agora, dizer para onde querem ir (indicado pelo cartão) e como querem ir (indicado pela foto).

Exemplo:

— Uma informação, por favor. Vou **para/a Berlim** e quero tomar **um avião.**
— É fácil. Há um aeroporto no subúrbio. A cidade tem um aeroporto.
— Obrigada.

Entendido o procedimento do exercício, o professor ou um aluno mostrará os cartões e as fotos e os alunos farão o diálogo.

O aluno poderá, também, pedir outras informações:

Quero comprar um presente para um amigo ou uma aspirina. Onde há uma loja de presentes, — farmácia etc.

Explicação e prática dos itens gramaticais

Exercício A

O primeiro item gramatical a ser desenvolvido na Unidade 2 é o artigo indefinido **um, uma**. Antes de iniciar o exercício, o professor deverá indicar ao aluno a passagem do diálogo onde se encontra o artigo. Ele apenas repetirá:

Há um ponto de ônibus ali na esquina, e destacará: **um** ponto de ônibus, **um**.

Em seguida, lerá a explicação dada no alto da página 11:

Um engenheiro
Uma secretária

Note-se que as noções gramaticais são sempre transmitidas de maneira clara e concisa, quase visual.

O professor deverá, então, fazer com que os alunos empreguem o artigo indefinido com palavras já conhecidas.

Professor:	Aluno:
a cidade	uma cidade
a avenida	uma avenida
o documento	um documento
a sala	uma sala etc.

Os alunos deverão, agora, fazer o exercício A, à p. 11, oralmente.

Exercícios B, C

O segundo assunto gramatical sugerido pelo diálogo é o uso do verbo ir, no presente do Indicativo. Como anteriormente, o professor deverá extrair, do diálogo, a passagem que introduz o assunto:

Para onde **vamos?**

Vamos para o centro

Em seguida, conjugará o verbo (p. 11) e os alunos repetirão a conjugação algumas vezes, de forma viva e variada.

O professor deverá, então, fazer algumas perguntas sobre o dia-a-dia para que os alunos usem o verbo **ir**.

P: À noite eu vou ao cinema. E você? Você vai também ao cinema?
A: Vou, sim. *ou*: Não, não vou. Mas eu vou à discoteca.

E assim por diante.

Sugestões:

ir à discoteca, ao bar, ao restaurante, à praça, ao cinema, ao teatro, à casa de **Maria**, à vernissage, ao show etc.

Desse modo, os alunos passarão a usar o verbo conjugado em sentenças. Essa etapa deverá ser breve e ativa. Finda esta, os alunos farão o exercício B, à p. 11. O exercício deverá ser feito em corrente: um aluno volta-se para o vizinho e pergunta:

Para onde vamos?

O segundo aluno dará a resposta:

Vamos para Brasília.

Em seguida, fará a pergunta seguinte ao terceiro aluno e assim por diante.

O exercício C encerra o assunto.,

Exercício D

A estrutura **ir de** + **meio de transporte/ ir a pé** é praticada no exercício D.

Antes de fazer o exercício, ou depois de tê-lo feito, o professor poderá fazer um exercício comunicativo adicional para praticar a estrutura mencionada.

P: Você vai para o trabalho de táxi?
A: Não, não vou.
P: Vocês vão para o trabalho de carro?
A: Vamos, sim. ou: Não, não vamos, vamos a pé.

E assim por diante.

Exercício E

O item gramatical a ser desenvolvido é o emprego de **há**. Antes de iniciar o exercício, o professor deverá indicar as passagens do diálogo onde se encontra **há** aos alunos.

Ele repetirá:
Há um ponto de ônibus ali na esquina.
Há uma Estação Rodoviária nova no subúrbio.

Em seguida, lerá a explicação dada na p. 12.

Entendido o uso de **há**, os alunos deverão fazer o exercício E.

Exercício F

A noção gramatical a ser desenvolvida é **gostar de** + **verbo no infinitivo ou substantivo.**

O professor extrairá a passagem do diálogo onde **gostar de** é usado e explicará novamente a estrutura.

Gosto de andar.

Exercício G

Os itens gramaticais a serem desenvolvidos são **gostar de + pronome** e a contração da preposição **de + eles / elas.**
O professor extrairá do diálogo a passagem:
Estes prédios são antigos. Gosto deles.
E a explicará.
Em seguida, os alunos farão o exercício.

Exercício H

Gostar de + substantivo precedido de artigo definido é a estrutura a ser desenvolvida no exercício.
O professor explicá-la-á brevemente. Depois os alunos farão o exercício.

Exercício I

As noções gramaticais a serem desenvolvidas são: **gostar de + substantivo** precedido de pronome adjetivo demonstrativo.
O professor extrairá do diálogo a passagem:
O aeroporto desta cidade também é moderno?
E explicará de + este   — deste
          de + esta   — desta
          de + estes — destes
          de + estas — destas
Em seguida os alunos farão o exercício.

Exercícios J, L

A noção gramatical a ser desenvolvida é a conjugação do verbo irregular **ter.**
Antes de fazer o exercício no livro, os alunos deverão praticar a conjugação do verbo **ter** de maneira comunicativa.

P: Você tem um carro? (*dirigindo-se em voz baixa a um aluno*: tenho, sim. ou: não, não tenho).
A: (*o aluno repete*) Tenho, sim. *ou*: não, não tenho.
P: Vocês têm livros de português? (*dirigindo-se, em voz baixa, a dois alunos*: temos, sim)
As: (*os alunos repetem*) Temos, sim.

Depois o professor escreverá as frases na lousa e continuará o exercício.
Realizado o exercício, o professor escreverá toda a conjugação na lousa.
Antes de ter terminado o exercício comunicativo, o professor não deve escrever toda a conjugação na lousa porque os alunos devem, eles mesmos, reconhecer as formas verbais já praticadas e aprendidas.

24

Esta técnica didática, fazer os alunos, por si mesmo, reconhecer e descobrir as estruturas gramaticais, é muito efetiva para a aprendizagem rápida e profunda de uma língua estrangeira.

Depois os alunos farão os exercícios J + L.

O exercício L será feito em corrente.

Exercício M

O exercício M aumenta o vocabulário.

O pequeno diálogo

No alto da página 17, através de um breve diálogo, retoma-se o possessivo **meu, minha,** já apresentado no diálogo de abertura.

Antes de ler o pequeno diálogo o professor deverá introduzir **meu, minha** e, talvez, também **meus, minhas.**

A introdução poderá ser feita visualmente.

P: meu pé (*mostrando seu pé*)
   minha cabeça (*mostrando sua cabeça*)
   minha mulher (*mostrando uma foto de família com sua mulher*)
   minhas crianças (*mostrando a mesma foto, indicando as crianças*)
   meus filhos (*mostrando a mesma foto, indicando os filhos*)
   meus livros (*mostrando vários livros dele*)
   minha bolsa (*mostrando uma bolsa dele*)
   minhas xícaras (*mostrando xícaras dele*)
E assim por diante.

Introduzidos os pronomes possessivos da primeira pessoa, o professor deverá ler o diálogo duas vezes, explicar seu sentido, encená-lo com um aluno, fazer com que dois alunos o dramatizem e, depois, concentrar-se no problema do possessivo. Os alunos deverão juntar **meu/minha** a palavras conhecidas:

Professor:	Aluno:
a casa	minha casa
o filho	meu filho
as gavetas	minhas gavetas
os cheques	meus cheques etc.

Agora, suprimindo o artigo:

cidade	minha cidade
pés	meus pés etc.

Poderá, então, ser feito o exercício A da p. 17.

O problema da concordância nominal deve ser tratado com cuidado desde o início, por ser essa uma das dificuldades mais freqüentemente encon-

25

trada por quem aprende o português como língua estrangeira. O aluno deve ser alertado, desde o início, para esta dificuldade.

O professor poderá fazer outro exercício sobre os possessivos.

Todos os alunos deverão levar à aula fotos de sua família, da sua cidade etc. Em seguida deverão descrevê-las, por escrito ou oralmente, empregando o possessivo da primeira pessoa.

3.2.2.2. No telefone

Gramática
— Presente do indicativo dos verbos regulares em **-er**
— Presente Contínuo do Indicativo dos verbos regulares em – **ar** e – **er**
Expressões
— sinto muito
— de manhã
— à noite

Preparação e apresentação do texto

Para a introdução da estrutura gramatical do Presente Contínuo e de algumas palavras novas do diálogo, o professor poderá fazer um exercício comunicativo.

P: Você está estudando português agora? (*dirigindo-se em voz baixa, a um aluno*: sim, estou estudando português agora.)
A: (*o aluno repete*) Sim, estou estudando português agora.
P: Vocês estão trabalhando agora? (*dirigindo-se, em voz baixa, a dois alunos:* Não, não estamos trabalhando agora.)
As: (*os alunos repetem*) Não, não estamos trabalhando agora.
P: O que você está fazendo agora?
A: Estamos estudando português agora.
P: Você está atendendo um cliente agora?
A: Não, não estou atendendo um cliente agora.
P: Estou estudando português agora.

O Professor repete todas as respostas dos alunos para que todos os alunos as ouçam claramente e para que as respostas erradas ou incompletas sejam corrigidas e completadas.

Depois da resposta, o professor escreverá os três exemplos na lousa e explicará brevemente a formação e o emprego do Presente Contínuo.

Nos exercícios, a estrutura do Presente Contínuo será retomada outra vez.

Em seguida, o professor continuará o exercício provocando respostas afirmativas e negativas. Depois os alunos farão o exercício entre si.

Feito o exercício, o professor deverá apresentar o texto como apresentou o diálogo de abertura: livros fechados, os alunos ouvirão duas vezes a fita ou a leitura feita pelo professor. Livros abertos, o diálogo será ouvido, pela terceira vez.

Depois das explicações necessárias à compreensão, sempre concisas, os alunos lerão o diálogo, variando a forma como o fazem. Como anteriormente, a pronúncia deverá ser corrigida para que o aluno consiga falar no limite máximo de sua capacidade individual.

Para a correção de erros de pronúncia, nessa fase aconselham-se rápidos exercícios de repetição:

é: pé	m final: tem	l: fácil	r/rr: caro – carro
café	também	difícil	era – erra
José	trem	hotel	fera – ferra
é	bem	papel	

Esses exercícios ajudarão o aluno a conscientizar-se de sua dificuldade e o capacitarão a corrigir-se a si mesmo.

Explicação e prática dos itens gramaticais

Exercício A

A noção gramatical a ser desenvolvida no exercício A é a conjugação dos verbos regulares em – er.

Antes de fazer o exercício, o professor fará um exercício com a finalidade de introduzir a conjugação dos verbos regulares em – er.

P: Você bebe coca-cola? (*dirigindo-se, em voz baixa, a um aluno:* bebo, sim.)
A: (*o aluno repete*) Bebo, sim.
P: Você aprende japonês?
A: Aprendo, sim.
P: Vocês aprendem português? (*dirigindo-se, em voz baixa, aos alunos:* aprendemos, sim.)
As: (*os alunos repetem*) Aprendemos, sim.

Como sempre, o professor repete todas as respostas dos alunos para que todos os alunos ouçam a resposta claramente e para que as respostas erradas ou incompletas sejam corrigidas e completadas.

Depois da terceira resposta dos alunos, o professor escreverá as perguntas e respostas na lousa e continuará o exercício.

Terminado o exercício, os alunos deverão adivinhar como será a conjugação regular do verbo **vender**. Depois, o professor explicará outra vez a formação das formas verbais com outro verbo, por ex.: **aprender**.

Em seguida, os alunos farão o exercício A duas vezes: uma vez por escrito e outra vez oralmente.

Exercício B

A conjugação dos verbos regulares em – ar e – er no Presente do indicativo será praticada no exercício B.

O professor repetirá outra vez a conjugação regular dos verbos em – ar no Presente do Indicativo. Depois, farão o exercício B.

Exercícios C, D e E

As noções gramaticais a serem desenvolvidas nos exercícios C, D e E são a formação e o emprego do Presente Contínuo dos verbos em – ar e – er.

Antes que os alunos façam os exercícios, o professor indicará a diferença entre o Presente Simples e Presente Contínuo.

Presente Contínuo do Indicativo
Eu **sempre** falo inglês.
Eu não estou falando inglês **agora**.
Eu trabalho no escritório.
Eu não estou trabalhando no escritório **agora**.

Entendida a diferença, o professor fará com que os alunos usem o novo tempo verbal:

P: Você escreve muito?
A: Eu escrevo muito, **mas** não estou escrevendo agora.
P: O senhor sempre atende o telefone?
A: Eu sempre atendo o telefone, **mas** eu não estou atendendo o telefone agora.

O exercício deverá ser desenvolvido com verbos de 1ª e 2ª conjugação, durante algum tempo, até que os alunos o façam sem dificuldade.

Para fixar a nova noção, o professor, com os alunos, conjugará alguns verbos de 1ª e 2ª conjugação no Presente Contínuo (andar, gostar, mostrar, aprender, comer, beber etc).

Realizado esse trabalho, o aluno fará os exercícios **C** e **D** da página 19 sem dificuldade. O assunto será encerrado com o exercício **E**, na página seguinte.

Com a finalidade de repetir e praticar o presente contínuo poderá o professor usar um vídeo.

O professor o apresenta, congela a imagem e pergunta:

P: O que ele está fazendo?
A: Está bebendo.

O emprego do vídeo para a introdução ou a prática do Presente Contínuo é recomendável porque o vídeo é uma fonte muito rica de ações e todas podem ser expressas nesse tempo.

3.2.2.3. Texto Narrativo – Uma cidade pequena

> Expressões
>
> — **fica** no interior de Minas Gerais

Preparação e apresentação do texto

Para a introdução do texto o professor poderá mostrar fotos ou slides de uma cidade pequena brasileira (por ex.: Ouro Preto) ou portuguesa, com uma praça ou uma igreja, lojas, um cinema, um banco, um bar e uma padaria. O professor projetará os slides ou mostrará as fotos e nomeará os locais (praça etc.).

Este texto narrativo, como os textos anteriores, deve ser apresentado oralmente aos alunos, estes com seus livros fechados. Se necessário, far-se-á uma segunda leitura.

Quando os alunos julgarem ter compreendido o texto, o professor fará algumas perguntas a respeito de seu conteúdo, por exemplo:

> Essa cidade é grande?
>
> Onde fica?
>
> A praça da igreja é importante? Por quê?
>
> O que fazem os moços e as moças à noite?

Estabelecida a compreensão, o professor lerá o texto novamente, os alunos, agora com seus livros abertos. A seguir, os alunos o lerão.

Explicação e prática dos itens gramaticais

Exercícios A, B, C

O vocabulário do texto será retomado nos exercícios A e B à página 21 e com C à página 22.

Com a finalidade de aplicar o vocabulário e aumentá-lo, cada aluno poderá fazer uma breve descrição de sua cidade, ou do subúrbio onde mora.

Cada aluno poderá, também, descrever uma cidade ou um subúrbio da região para que seus colegas adivinhem de que localidade se trata.

Uma terceira atividade: o professor escreverá na lousa o nome de 4 cidades e, depois, passará a descrever uma delas, com apoio ou não de fotos ou slides. Os alunos deverão adivinhar de que cidade se trata.

3.3. Unidade 3

3.3.1. Conteúdo da unidade

> Textos
>
> Diálogo 1: No restaurante (alimentação)

Diálogo 2: Um baile a fantasia
Texto Narrativo: Um almoço bem brasileiro
Ditado

Itens gramaticais

— Presente do Indicativo do verbo irregular **poder**
— Futuro Imediato: **ir + infinitivo**
— A diferença entre **ser** e **estar**
— **antes de**
— **depois de**
— O pronome interrogativo **por que**
— **porque**
— O plural dos substantivos

3.3.2. Sugestões práticas para o ensino

3.3.2.1. No restaurante

Gramática

— Presente do Indicativo do verbo irregular **poder**
— Futuro Imediato: **ir + infinitivo**
— A diferença entre **ser + estar**
— **antes de, depois de**
— O pronome interrogativo **por que**
— **porque**

Estruturas

— Estar com fome
— Estar com sede
— Estar com pressa

Expressões

— Que tal...?
— É mesmo!

Preparação e apresentação do texto

Antes de ler o diálogo de abertura o professor introduzirá algumas estruturas e palavras novas do texto.

O exercício de introdução reproduzirá situação de restaurante para antecipar a situação do diálogo.

O professor ou escreverá na lousa ou repartirá entre os alunos o seguinte cardápio apresentado:

CARDÁPIO

Sopas
Sopa de legumes
Caldo Verde
Sopa de peixe
Creme de palmito

Entradas
Salada de alface e tomates
Salada mista

Peixes
Filé de pescada com brócole
Bacalhau à portuguesa
Línguado à moda da casa
Camarão à baiana

Carnes
Bife acebolado
Pernil com farofa
Escalope de vitela
Churrasco completo
Costeleta de porco com batatas fritas
Rosbife com legumes

Aves
Frango ensopado
Pato assado com purê de batatas

Massas
Spaghetti à bolonhesa ou ao sugo

Sobremesa
Pudim caramelo
Sorvetes
Frutas da estação

Bebidas
Sucos de frutas
Refrigerantes
Água mineral
Batidas
Cerveja
Vinho branco
Vinho tinto
Café

Depois o professor começará:

P: Estou num restaurante. Estou com fome e com sede. Eu vou pedir uma salada de legumes, carne com batatas e uma laranjada. E você? O que vai pedir?

A: Estou com fome e com sede. Vou pedir_____

P: Estou com sede e vou pedir uma cerveja. E você? O que vai pedir?

A: Estou com sede e vou pedir suco de laranja. E você? O que vai pedir? (*dirigindo-se a um terceiro aluno*).

A: Estou com fome e com sede e vou pedir_____

Depois o professor variará o diálogo:

P: Estou com sede e vou tomar uma cerveja. E você? O que vai tomar?

O professor repete todas as respostas erradas ou incompletas dos alunos para que os alunos aprendam as palavras e estruturas novas corretamente.

Feito o exercício, o professor deverá apresentar o diálogo de abertura como apresentou todos os diálogos: leitura do texto, explicações necessárias à compreensão, correção da pronúncia.

Depois os alunos farão o exercício A, p. 24 em corrente.

O pequeno diálogo que segue o diálogo de abertura deve ser lido uma vez pelo professor e repetido pelos alunos. Ele não deverá oferecer maiores dificuldades, pois retoma as estruturas do diálogo principal.

Com a finalidade de melhorar a compreensão oral e a compreensão de texto, o professor poderá usar o seguinte material:

O almoço

João — Estou com fome.

Ronaldo — Eu também.

João — Vamos almoçar.

Ronaldo — No outro lado da rua há um restaurante. Vamos entrar.

João — Esta mesa está livre. Vamos sentar-nos aqui.

Ronaldo — Poderia me trazer o cardápio por favor.

Garçon — Aqui está. Os senhores desejam uma entrada?

Ronaldo — Sim, traga-me melão com presunto. (*Dirige-se a João*) Prefere vinho branco ou vinho tinto?

João — Vinho tinto, por favor.

Ronaldo — O que é que gostaria para segundo prato?

João — Quero bife de vitela com batatas fritas.

Garçon — E que sobremesa desejam?

Ronaldo — O que tem de fruta?

Garçon — Temos maçãs, bananas, peras e uvas.

Ronaldo — Traga-me uma pera.

Garçon — Os senhores tomam café?

João — Sim, traga-nos dois cafés, bem quentes.

Garçon — E a seguir um conhaque?

Ronaldo — Sim ótimo.

Garçon — (*Dirige-se a João*) E o senhor?

João — Não gosto de conhaque, obrigado.

Ronaldo — A conta, por favor!
   Fica assim.

Garçon — Muito obrigado.

(extraído: Helmut Rostock: Lehrbuch der portugiesischen Sprache, Verlag Enzyklopädie Leipzig, 1988, S. 39)

Para fazer um exercício de compreensão de texto, o professor distribuirá o texto e fará perguntas a respeito dele. Para exercício de entendimento oral, o professor lerá uma vez o diálogo. Depois escreverá algumas afirmações na lousa.

Por ex.:

	Certo	Errado
1. João e Ronaldo estão com fome.		
2. Vão a um restaurante.		
3. João toma vinho branco.		
4. João pede bife de vitela com batatas fritas.		
5. Como sobremesa, João e Ronaldo pedem mamão.		

Depois o professor lerá mais uma ou duas vezes o diálogo. Em seguida, os alunos deverão dizer se as afirmações estão certas ou erradas.

Com ajuda deste texto, que é um texto em língua portuguesa de Portugal, o professor poderá também comentar a diferença entre a língua portuguesa do Brasil e a língua portuguesa de Portugal (diferenças de pronúncia e de vocabulário). É importante que o professor deixe claro ao aluno que, embora haja diferenças marcantes entre as duas variantes, trata-se de uma só língua. Um aluno que domine a variante brasileira não terá dificuldade de comunicação em Portugal.

Explicação e prática dos itens gramaticais

Exercícios B, C, D

A noção gramatical a ser desenvolvida nos exercícios seguintes é a conjugação do verbo irregular **poder**.

Antes de fazer os exercícios, o professor perguntará aos alunos:

P: Você pode comer agora? (*dirigindo-se a um aluno em voz baixa:* não, não posso.)

A: *(o aluno repete)* Não, não posso.

P: Vocês podem aprender português agora? (*dirigindo-se, em voz baixa , a dois alunos:* podemos, sim.)

As: Podemos, sim. (*os alunos repetem*)

O professor repete todas as respostas dos alunos para que eles ouçam a resposta correta.

Dada a última resposta, o professor escreverá as perguntas e as respostas na lousa. Depois os alunos farão o exercício entre si.

Em seguida o professor escreverá a conjugação do verbo **poder** na lousa. Agora os alunos já sabem todas as formas do verbo **poder** e as reconhecem facilmente.

Em seguida, os alunos farão os exercícios. Seria recomendável fazer o exercício B primeiro por escrito e depois oralmente para praticar a conjugação. Os exercícios C e D serão feitos só oralmente e em corrente.

Exercícios E, F, G

O item gramatical a ser desenvolvido é o Futuro Imediato.

Como a estrutura já foi introduzida comunicativamente antes da leitura do diálogo de abertura, o professor só extrairá as passagens do diálogo, explicando o uso do futuro imediato.

Onde **vamos sentar**?

O que você **vai pedir**?

Vou tomar também uma cerveja.

Em seguida os exercícios E e F serão feitos pelos alunos em corrente.

O exercício G será feito primeiro por escrito e depois oralmente.

Exercícios H, I, J

A noção gramatical contida nestes exercícios é a diferença de uso entre os verbos **ser** e **estar**.

O problema da diferença do emprego de **ser** e **estar** deve ser tratado com cuidado, por ser essa uma das dificuldades mais freqüentemente encontrada por quem aprende o português como língua estrangeira.

Para demonstrar a diferença entre **ser** e **estar** o professor levará objetos conhecidos à aula: xícaras, copos, batatas, cerveja, bolsas etc.

P: O que é isso? (*mostrando uma xícara*)
A: É uma xícara.
P: Onde está a xícara agora? (*pondo a xícara na bolsa*)
A: A xícara está na bolsa.

Feitos três exemplos deste tipo o professor escrevê-los-á na lousa e perguntará aos alunos se podem explicar a diferença no emprego de **ser** e **estar**. Depois das explicações e observações feitas pelos alunos, o professor explicará outra vez a diferença entre **ser** e **estar**, usando o modelo à p. 26 do livro do aluno. Em seguida, o exercício H será feito primeiro por escrito e depois oralmente.

Os exercícios I e J serão feitos oralmente e em corrente.

Exercício L

O exercício L retoma estruturas já conhecidas: formulação de perguntas (como?) e uso do verbo **ir, ir de, ir a pé**.

O exercício não oferece maiores dificuldades e será feito em corrente.

Exercício M

Expressões com **estar** são tratadas no exercício M.

O professor extrairá todas as expressões dos diálogos na p. 23:
Você **está com pressa?**
Estou com fome.
Estou com sede.
Eu **estou com fome e com sede.**

Depois o professor perguntará aos alunos:

P: Você está com sede?
A: Estou, sim. *ou*: Não, não estou. E assim por diante.

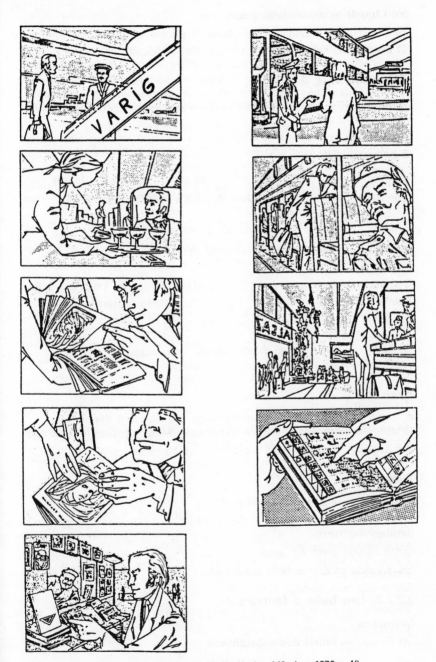

(extraído e variado: Spanisch für Sie, Hueber, München, 1976, s. 4f)

Em seguida os alunos farão o exercício.

Ao desenvolver a Unidade 3, o professor poderá também fazer um exercício com histórias ilustradas, com a finalidade de fixar e aumentar o vocabulário e as estruturas gramaticais dadas. A história ilustrada na página anterior serve como exemplo. O professor distribuirá uma história sem palavras e os alunos deverão desenvolvê-la, por escrito, em trabalho individual ou em grupo. O professor efetuará a correção depois.

Exercícios deste tipo poderão ser feitos ao longo do curso.

O pequeno diálogo

O breve diálogo introduz duas estruturas novas: **antes de + depois de.**

O professor deverá ler o diálogo duas vezes, explicar seu sentido, e fazer com que os alunos o dramatizem.

O diálogo poderá também sofrer pequenas alterações.

Por ex., o professor levará cartões indicando coisas que as pessoas querem fazer, quando e por que não é possível.

Cartão 1: tomar uma cerveja   **Cartão 2:** antes do trabalho

Exemplo: não ter tempo

Que calor! Quando nós vamos tomar uma cerveja?
Antes do trabalho.
Antes do trabalho? Antes do trabalho nós não temos tempo.
Ah! É mesmo! Então vamos depois do trabalho.

Exercício A

A noção gramatical a ser desenvolvida no exercício A é **depois de.**
O professor extrairá as passagens do pequeno diálogo e explicará o emprego.

Em seguida os alunos farão o exercício em corrente.

Exercício B

Antes de é praticado no exercício B.

Antes de fazer o exercício, o professor explicará a estrutura empregando a passagem do texto:

Então eu vou antes do jantar.

Em seguida os alunos farão o exercício.

3.3.2.2. Um baile a fantasia

Gramática

     — Plural dos substantivos

```
— o  = — os
— m  = — ns
— ês = — eses
— z  = — zes
— r  = — res
— al = — ais/ el = éis/ ol = óis/ ul = uis
       — ãos
— ão = — ães
       — ões
```

> **Expressões**
> – nossa!

Preparação e apresentação do texto

O diálogo secundário introduz novas estruturas. O professor deverá apresentá-lo como apresentou o diálogo de abertura: livros fechados, os alunos ouvirão duas vezes a fita ou a leitura pelo professor. Livros abertos, o diálogo será ouvido, pela terceira vez. Depois das explicações necessárias à compreensão, os alunos lerão o diálogo. Como anteriormente, a pronúncia deverá ser corrigida.

Explicação e prática dos itens gramaticais

Exercícios A, B, C, D

O plural dos substantivos é a noção a ser desenvolvida nos exercícios.

Antes de fazer os exercícios o professor explica as regras da formação do plural usando os exemplos dados no livro, à pág. 29. Depois os alunos farão os exercícios.

3.3.2.3. Texto Narrativo — Um almoço bem brasileiro

> **Expressões**
> — bem brasileiro

Preparação e apresentação do texto

O texto narrativo, como os textos anteriores, deve ser apresentado oralmente aos alunos, esses com seus livros fechados. Se necessário, uma segunda leitura será feita.

Entendido o texto, os alunos responderão às perguntas do exercício A.

Depois o professor perguntará aos alunos o que vão comer depois do curso etc.

37

Explicação e prática dos itens gramaticais

Exercícios B e C

O vocabulário será fixado nos exercícios B e C, que os alunos farão por escrito, em grupos. O controle será feito oralmente.

Estes dois exercícios são material muito propício à conversação. No exercício B, o aluno poderá explicar por que determinada palavra não combina com as outras.

No exercício C, é possível organizar pelo menos dois cardápios caracteristicamente brasileiros. O aluno poderá organizar o que mais lhe agrada e explicar suas razões. Poderá depois, organizar um cardápio para um jantar com convidados, um almoço caseiro, um almoço leve de verão, um jantar de inverno etc., usando vocabulário diferente, talvez com auxílio de dicionário.

O ditado encerrará a Unidade 3.

3.4. Unidade 4

3.4.1. Conteúdo da unidade

Textos
Diálogo 1: Procurando um apartamento (a casa)
Diálogo 2: Um lugar agradável (localização)
Texto narrativo: Onde morar?

Itens gramaticais
— Pretérito Perfeito do Indicativo dos verbos regulares em – ar e – er
— Presente do indicativo do verbo irregular **querer**
— Presente do Indicativo do verbo irregular **preferir**
— Advérbios de lugar: **em frente de, atrás de, ao lado de, perto de, longe de**
— Pronomes– adjetivos possessivos
— Contrações da preposição **em** + artigo indefinido: **num, numa, nuns, numas**
Caderno de Testes: Teste 2

3.4.2. Sugestões práticas para o ensino

3.4.2.1. Procurando um apartamento

Gramática
— Pretérito Perfeito do Indicativo dos verbos regulares em – ar e – er

> — Presente do Indicativo dos verbos irregulares **querer** e
> **preferir**
> — Advérbios de lugar **perto de** e **longe de**
>
> Expressões
> — **mesmo** (= de fato)
> — **puxa!**
> — **que confusão!**

Preparação e apresentação do texto

Antes de ler o diálogo de abertura, o professor introduzirá estruturas gramaticais e palavras novas.

A introdução pode ser feita por desenhos do professor na lousa.

Modelo da introdução com ajuda de desenhos:

P: Hoje estou procurando um apartamento. (*Mostrando um jornal com anúncios de apartamentos para alugar e vender.*)

Quero um apartamento perto da cidade. (*Desenhando uma planta de um apartamento perto do centro da cidade.*)

Quero comprar um apartamento com três quartos, uma sala, cozinha, dois banheiros, uma área de serviço e duas garagens (*Desenhando a planta deste apartamento e indicando os quartos, a cozinha etc.*)

Ontem vendi minha casa e ontem comprei o jornal para procurar apartamento. (*Mostrando um jornal de ontem com os anúncios de imóveis para alugar e vender.*)

Todos os apartamentos ficam longe do centro. (*Desenhando o centro longe do apartamento.*)

Eu prefiro morar no centro.

Agora os alunos ouvirão o diálogo de abertura duas vezes, através da fita ou de leitura pelo professor. Depois abrirão seus livros e ouvirão novamente o diálogo. Em seguida o professor dará, em poucas palavras e gestos, as explicações necessárias. A pronúncia será corrigida com cuidado. Os alunos lerão o diálogo várias vezes em grupos pequenos e o professor passará pelos grupos. Em seguida, o professor fará perguntas a respeito do texto.

Como exercício adicional, o professor perguntará aos alunos onde moram e como moram:

P: Você mora num apartamento?
A: Moro, sim. *ou*: Não, não moro.
P: Onde fica o apartamento? O apartamento fica longe do centro etc.

O **pequeno diálogo** que se segue deve ser lido uma vez pelo professor e repetido pelos alunos. Ele não deverá oferecer maiores dificuldades, pois retoma as estruturas do diálogo de abertura. Cabe, nesse momento, uma explicação sobre Ubatuba e outras partes do litoral paulista (Santos, Guarujá etc.)

Explicação e prática dos itens gramaticais

Exercícios A, B, C

A noção gramatical a ser desenvolvida nos exercícios é o Pretérito Perfeito do Indicativo dos verbos regulares em – ar e – er.

Antes de fazer os exercícios do livro, o professor introduzirá o Pretérito Perfeito do Indicativo através de um exercício.

P: Ontem eu comprei um jornal. (*Mostrando o jornal de ontem*)
E você? O que você comprou ontem?
A: Ontem eu comprei... E você? O que você comprou ontem? (*Dirigindo-se a outro aluno.*)
E assim por diante.

O professor repetirá corretamente todas as respostas para que todos os alunos aprendam as formas certas. Feito o exercício, o professor escreverá a conjugação do Pretérito Perfeito dos verbos regulares em – ar na lousa explicando sua formação. Depois empregará o Pretérito Perfeito contrastando-o com o Presente.

P: Hoje compro *um jornal.*
Ontem comprei dois jornais.
Hoje como carne.
Ontem comi peixe.

Em seguida, os alunos farão o exercício A, primeiro por escrito e, depois, oralmente.

Feito o exercício A, o professor introduzirá as formas do Pretérito Perfeito dos verbos regulares em – er.

P: Ontem bebi café. E você? O que você bebeu ontem?
A: Bebi também café. E você? O que você bebeu ontem? (*Dirigindo-se a um terceiro aluno.*)
E assim por diante

Depois da realização do exercício, o professor explicará a formação do Pretérito Perfeito dos verbos regulares em – er com o verbo **beber**.

Depois repetirá a conjugação com outro verbo em – er. Em seguida, os alunos farão os exercícios B e C.

Exercício D

O item gramatical a ser desenvolvido no exercício D é a conjugação do verbo irregular **querer**. Ela será introduzida através de um exercício oral. A situação do exercício: três amigos dizem o que querem fazer.

P: Quero tomar uma cerveja agora. E você? O que você quer fazer agora? (*Dirigindo-se a Roger*)

R: Também quero tomar uma cerveja. E você, Helmut? O que você quer fazer agora?

H: Quero comer. Estou com fome.

P: Nós, Roger e eu, queremos tomar uma cerveja agora, mas Helmut quer comer.

O professor escreverá a conjugação do verbo **querer** na lousa. Depois o pequeno diálogo entre amigos será feito várias vezes também em grupos pequenos, podendo-se variar o assunto (Quero morar num apartamento. E você? Quero ir ao cinema. E você?). Em seguida, o professor lerá o texto **Querer**, à p. 35, respeitando sua cadência. Os alunos estarão agora aptos a fazer o exercício **D**.

Exercício E

O verbo **preferir** é o assunto a ser desenvolvido no exercício E. Ele será introduzido através de um diálogo.

	Gosto.
Você gosta de praias?	Gosto. Mas prefiro as montanhas.
	Não, não gosto. Prefiro as montanhas.
E ele? Ele gosta de praias?	Não, não gosta. Ele prefere as montanhas.

Outras perguntas poderão ser feitas: Você gosta de andar a pé? Você gosta de café?...

Depois os alunos farão perguntas uns aos outros e poderão, a seguir, fazer o exercício E.

Exercício F

Os itens gramaticais a serem desenvolvidos são os advérbios de lugar **perto de** e **longe de**.

Antes de fazer o exercício , o professor explicará a diferença dos dois advérbios, explicitando o exemplo dado no livro à p. 36. Depois mostrará um mapa do Brasil e perguntará:

P: São Paulo fica longe de Manaus?

A: Fica, sim. Manaus fica longe de São Paulo.

P: Recife fica longe de Salvador?

A: Não, não fica. Recife fica perto de Salvador.

E assim por diante.

Mais tarde, os alunos farão perguntas entre si. Poderão, depois, fazer o exercício F do livro.

3.4.2.2. Um lugar agradável — Onde estão eles?

> **Gramática**
> — Advérbios de lugar: **em frente de, atrás de, ao lado de**
> — Pronomes possessivos: **seu (s), sua(s), nosso (s), nossa(s)**
> — **dele(s), dela(s)**
> — Contração da preposição **em** + os artigos indefinidos
>
> **Estruturas**
> — **precisar** + verbo no infinitivo
> — **precisar de** + substantivo
>
> **Expressões**
> — mudar de idéia
> — um absurdo!
> — valer a pena

Preparação e apresentação do texto Um lugar agradável

O professor introduzirá o diálogo com o auxílio de uma planta de cidade, uma foto de uma praça com muitas pessoas, uma foto aérea de um centro de cidade, um desenho de um centro de cidade etc.

O professor descreverá a localização dos prédios ou pessoas usando os advérbios de lugar **em frente de, atrás de, ao lado de, perto de e longe de.** Ele escreverá todas as frases com os advérbios na lousa.

Depois pedirá aos alunos que localizem os elementos da foto ou desenho. Mais tarde os alunos farão perguntas uns aos outros.

Introduzidas as estruturas gramaticais, o professor deverá apresentar o diálogo como apresentou o diálogo de abertura.

Nota: O diálogo em foco descreve um local na cidade de São Paulo. O parque do texto é o Parque Siqueira Campos, entre a avenida Paulista e alameda Jaú. O museu é o MASP (Museu de Arte de São Paulo), na avenida Paulista. O colégio é o Colégio Dante Alighieri, o colégio tradicional da colônia italiana de São Paulo. A região descrita é uma das áreas mais caras de São Paulo, com comércio sofisticado, residências antigas e prédios com apartamentos muito valorizados.

Explicação e prática dos itens gramaticais

Exercícios A, B, C, D

Os advérbios de lugar **em frente de, atrás de, ao lado de, perto de e longe de** são os itens gramaticais a serem desenvolvidos nos exercícios.

Como todos os advérbios de lugar já foram explicados, os alunos farão imediatamente os exercícios A, B, C e D.

Exercício E

A noção gramatical a ser desenvolvida no exercício E é a contração da preposição **em** e os artigos indefinidos: num, numa, nuns, numas. Antes de fazer o exercício, o professor explicará o assunto formando frases com as contrações. Depois os alunos farão o exercício E.

O pequeno diálogo: Onde estão eles?

O diálogo introduz os possessivos seu(s), sua(s), dela(s), dele(s). Trata-se de um ponto delicado do curso, pois o fato de os pronomes **seu(s)**, **sua(s)** terem dois sentidos (de você(s), dele(s), dela(s)), geralmente confunde o aluno. Para que não haja maiores dificuldades, o professor fará, na lousa, o seguinte quadro:

eu	meu(s), minha(s)
ele ela você	seu(s), sua(s)
nós	nosso(s), nossa(s)
eles elas vocês	seu(s), sua(s)

Com o quadro, ficará demonstrado o sentido ambíguo de seu(s), sua(s). O professor introduzirá, então, os pronomes **dele(s)**, **dela(s)**, como recurso para evitar-se a ambigüidade. Por convenção, durante o curso, manter-se--ão separados os dois pronomes (**seu(s)**, **sua(s)** = de você; e **dele(s)**, **dela(s)** = de João, de Maria). O aluno, no entanto, estará informado de que **seu(s)**, **sua(s)** também pode significar **dele(s)**, **dela(s)** — o que os textos do curso freqüentemente atestarão.

Antes de ler o diálogo, o professor treinará os possessivos através de um exercício comunicativo.

Todos os alunos porão alguns objetos seus sobre a mesa *(chaves da porta, chaves do carro, óculos, documentos, uma bolsa etc.)*.

Agora o professor começará o exercício:

P: *(mostrando os óculos de Maria)*. São os óculos de Maria.
São os óculos dela.
(dirigindo-se a um aluno) São os óculos de Roger?
A: Não, não são os óculos dele. São os óculos dela.
Não, não são os óculos dele.

Depois de ter feito quatro exemplos usando os pronomes masculinos e femininos no singular e no plural, o professor escreverá os pronomes na lousa e continuará o exercício usando também **nosso** etc.

Por ex.: Você acha interessantes nossos livros de português?

Você gosta de nossa aula de português? etc.

Depois os alunos farão o exercício entre si.

Quando os alunos tiverem praticado suficientemente os possessivos, o professor lerá o pequeno diálogo duas vezes, explicará seu sentido.

Os alunos o lerão depois e o dramatizarão.

Exercícios A, B, C, D, E

Os pronomes possessivos são os itens gramaticais a serem desenvolvidos nos exercícios seguintes.

O professor explicá-los-á outra vez usando o quadro à p. 40 do livro do aluno. Em seguida os alunos farão os exercícios.

Exercício F

A estrutura a ser desenvolvida no exercício F é **precisar + verbo no infinitivo e precisar de + substantivo**.

Antes de fazer o exercício, o professor fará um exercício comunicativo.

P: Hoje eu preciso de dinheiro porque quero comprar um livro. E você?
Você também precisa de dinheiro hoje?
A: Preciso, sim, porque quero comprar um jornal.
ou: Não, não preciso de dinheiro hoje.
P: Eu preciso ir à cidade hoje. E você? Você também precisa ir à cidade hoje?
A: Preciso, sim.

E assim por diante.

Depois da segunda proposta o professor escreverá na lousa:

preciso de dinheiro e preciso ir.

Os alunos farão, então, o exercício F à p. 42 do livro do aluno.

3.4.2.3. Texto Narrativo — Onde morar?

Estruturas
— mais + adjetivo

Preparação e apresentação do texto

Como introdução ao texto narrativo, o professor poderá mostrar slides ou fotos de São Paulo e falar um pouco da cidade. Depois, os alunos com seus livros fechados, ouvirão a leitura do texto pelo professor.

Em seguida, os alunos tentarão responder as perguntas que seguem o texto. Depois, esclarecidas as dúvidas e os erros, o texto poderá ser lido pelo professor e pelos alunos. Dominado o conteúdo, os alunos o resumirão com suas próprias palavras. A aula poderá ser encerrada com uma troca de idéias entre os participantes sobre o tema do texto: a vida familiar nos grandes centros urbanos.

Explicação e prática dos itens gramaticais

Exercícios B, C

Nos exercícios B e C, os alunos deverão fixar e aumentar seu vocabulário.

Depois de ter feito os exercícios, o professor introduzirá os números de 0 a 10.

O professor escreverá os números na lousa e perguntará por números de telefone. Mas antes escreverá as duas frases necessárias para poder fazer o exercício:

Qual é o número do seu telefone?

O número do meu telefone é...

Agora o professor fará outro exercício adicional a respeito de venda e aluguel de apartamentos.

Cada aluno deverá escrever um anúncio oferecendo seu apartamento ou casa para venda ou para alugar. Também indicará seu endereço e seu número de telefone. O professor corrigirá os anúncios oralmente, em classe, ou mais tarde, em casa.

Terminada a Unidade 4, os alunos farão o Teste 2 do Caderno de testes.

3.5. Unidade 5

3.5.1. Conteúdo da unidade

Textos

> ⚫⚫Diálogo 1: No jornaleiro (números / dias da semana / operações de somar e subtrair / horas)
> ⚫⚫Diálogo 2: Fazendo compras (cores)
> Texto Narrativo: Rios do Brasil
> ⚫⚫Ditado

Itens gramaticais

> — Presente do Indicativo dos verbos regulares em – **ir**
> — Presente Contínuo do Indicativo dos verbos regulares em – **ir**
> — Pretérito Perfeito do Indicativo dos verbos regulares em – **ir**

> — Pretérito Perfeito do Indicativo dos verbos irregulares **ser, estar, ter** e **ir**
> — Contração de **por** + os artigos definidos: pelo(s), pela(s)
> — Gênero dos adjetivos
> — Numerais cardinais
> — indicação das horas

3.5.2. Sugestões práticas para o ensino

3.5.2.1 No jornaleiro

Gramática
— Presente do Indicativo dos verbos regulares em – **ir** — Presente Contínuo do Indicativo dos verbos regulares em – **ir** — Pretérito Perfeito do Indicativo dos verbos regulares em – **ir** — Pretérito Perfeito do Indicativo dos verbos irregulares **ser, estar, ter** e **ir** — Contração de **por** + os artigos definidos: pelo(s), pela(s) — Numerais cardinais — Indicação das horas
Estruturas — Que horas são? — Agora são_____ horas. — A que hora? — às_____horas — das_____horas às_____horas
Expressões — trocar dinheiro — ter troco — que pena!

Preparação e apresentação do texto

Antes de ler o texto o professor deverá introduzir os números.

Os números podem ser introduzidos através de:

— prospectos de supermercados ou lojas. O professor perguntará pelo preço dos produtos.

— um mapa do Brasil ou de outro país ou de um continente. O professor perguntará pelas distâncias entre as cidades e os países e quantas horas de viagem são necessárias de uma a outra cidade etc.

— números de telefone. O profesor perguntará pelos números.

— câmbio de moedas. Os alunos farão conversões.

— boletins meteorológicos. O professor fará perguntas sobre temperaturas.

O professor poderá também fazer um exercício mais fácil com os números. Um aluno escreverá na lousa os números que outro aluno lhe ditar. Todas as atividades sugeridas acima poderão ser usadas várias vezes, sempre que o professor quiser treinar os números.

Feita a introdução dos números o professor deverá apresentar o diálogo de abertura como sempre: livros fechados, os alunos ouvirão duas vezes a fita ou a leitura feita pelo professor. Livros abertos, o diálogo será ouvido pela terceira vez. Depois das explicações necessárias à compreensão, os alunos lerão o diálogo. Em seguida o professor fará algumas perguntas.

O **pequeno diálogo** que se segue deve ser lido uma vez pelo professor e repetido pelos alunos.

Como exercício adicional, o professor mostrará aos alunos cartões indicando móveis e seus preços. Os alunos poderão, então, dois a dois, reproduzir o pequeno diálogo do livro, introduzindo nele algumas alterações.

Explicação e prática dos itens gramaticais

Exercícios A, B, C

Os itens gramaticais a serem desenvolvidos nos exercícios A, B e C são: o Presente do Indicativo dos verbos regulares em – ir e o Pretérito Perfeito do Indicativo dos verbos regulares em – ir.

Antes de fazer os exercícios, o professor introduzirá as estruturas gramaticais oralmente.

P: Hoje não discuto, mas ontem discuti muito. E você? Você discutiu muito ontem?
A: Não, não discuti muito ontem.
   Discuti, sim, mas hoje... .

e assim por diante, usando também outros verbos (abrir, insistir, permitir...)

Depois de ter feito dois exemplos, o professor escreverá a primeira e a terceira pessoa do singular do Presente do Indicativo e do Pretérito Perfeito do Indicativo na lousa. Em seguida continuará o exercício.

Realizado o exercício o professor escreverá toda a conjugação dos dois tempos dos verbos regulares em – ir na lousa, contrastando-a com as mesmas formas dos verbos regulares em –er e –ar.

Em seguida, os alunos farão os exercícios A e B, primeiro por escrito e depois oralmente. O exercício C encerra o assunto e será feito oralmente.

Exercício D

O assunto a ser desenvolvido no exercício D será o Presente Contínuo dos verbos regulares em – ar, –er e – ir.

O professor explicará a formação do Presente Contínuo dos verbos em –ir e repetirá o emprego do Presente Contínuo.

Em seguida, o exercício D será feito pelos alunos.

Exercício E

A noção gramatical a ser desenvolvida no exercício E é a contração de por + artigos definidos.

O professor usará a explicação à p. 47 para esclarecer o item. Depois, os alunos farão o exercício.

Exercício F

Os números cardinais são tratados no exercício F.

Antes ou depois de fazer o exercício F o professor fará um ou dois dos exercícios propostos para a introdução do texto de abertura, à p. 46 deste manual.

Exercícios G, H, I, J

A noção gramatical a ser desenvolvida nos exercícios G – J é o Pretérito Perfeito do Indicativo dos verbos irregulares ser, estar, ter e ir.

Antes de fazer o primeiro exercício, o professor dará a conjugação do verbo praticado no exercício. Depois os alunos farão os exercícios por escrito e oralmente para fixarem as novas formas verbais.

Feitos os exercícios, os alunos devem praticar o Pretérito Perfeito dos verbos outra vez, agora de maneira comunicativa, fazendo perguntas a outros alunos:

Por ex.: Onde você esteve ontem? Ontem estive no centro da cidade etc.

Exercício I

No exercício I serão introduzidos os dias da semana.

Antes de fazer o exercício, o professor apresentará os dias da semana através do quadro à p. 51 do livro do aluno.

Em seguida os alunos farão o exercício oralmente.

Feito o exercício, o professor perguntará o que os alunos fizeram, fazem, ou vão fazer durante esta semana, empregando os dias da semana, os advérbios de tempo anteontem, ontem etc. e os tempos adequados dos verbos usados:

P: Roger, você foi para Berlim ontem?
A: Fui, sim *ou*: Não, não fui. Fiquei aqui.
P: Vocês vão jantar às oito horas amanhã?
A: Vamos jantar, sim. *ou*: Não, não vamos jantar.
E assim por diante. Mais tarde os alunos farão perguntas uns aos outros.

O pequeno diálogo

O pequeno diálogo contém a indicação da hora e a pergunta conveniente.
O professor deverá ler o diálogo duas vezes e explicar seu sentido. Em seguida, os alunos o lerão em grupos.

Exercícios A, B, C

A indicação da hora é desenvolvida nos exercícios seguintes.

Mas, antes de fazer os exercícios, o professor explicará o quadro à p. 52 do livro do aluno. Em seguida os alunos farão os exercícios A, B e C.

Feitos os exercícios, o professor fará um exercício adicional.

Ele distribuirá um horário de trens, ônibus etc. e perguntará a que horas os trens partem e chegam.

Nota: O assunto **horas**, nesta unidade, é dividido em três partes:

Que horas são?	São duas horas (exemplo A).
A que horas...?	Às duas horas (exemplos B e C).
Quando...?	Das duas às quatro (exemplo D).

Exercício D

O professor explicará a estrutura através de sua vida quotidiana.

Por ex.: Eu trabalho das 8 horas ao meio-dia.

Em seguida perguntará aos alunos:

P: Quando você aprende português?
A: Aprendo português das 8 horas ao meio-dia
P: Quando você janta?
A: Janto das 7 horas às 8 horas.

E assim por diante. Mais tarde os alunos farão perguntas uns aos outros.

Feito o exercício comunicativo, os alunos farão o exercício D.

Exercício E

Este exercício é relativamente complexo, pois combina o Presente e o Perfeito do Indicativo, além de exigir do aluno uma certa dose de reflexão.

Ele poderá ser suprimido em cursos dados a alunos muito fracos, sendo, no entanto, um bom estímulo para alunos em geral.

3.5.2.2. Fazendo compras

Gramática
— Gênero dos adjetivos: — o — a   — ês — esa   — ol — ola   — ão — ã   — adjetivos irregulares: bom — boa   mau — má

Estruturas
— daqui a_____ dias   — há_____ dias

Preparação e apresentação do texto

Antes de ler o diálogo ou tocar sua gravação, o professor deverá introduzir a noção de concordância de gênero.

Mostrando diversas peças do vestuário com cores diferentes, o professor dirá:

P: Uma blusa branca (*mostrando uma blusa branca*)
   O que é isso?
A: É uma blusa branca.
P: Um vestido preto (*mostrando um vestido preto*)
   O que é isso?
A: É um vestido preto.

E assim por diante.

Depois o professor escreverá os exemplos na lousa e explicará a concordância. Em seguida, os alunos, com objetos seus, farão perguntas e darão respostas. O professor apresentará, então, o diálogo: livros fechados, os alunos ouvirão duas vezes a fita ou a leitura pelo professor.

Antes de abrir os livros, os alunos devem dizer quais peças do vestuário são mencionadas no diálogo. Depois, com os livros abertos, os alunos ouvirão o diálogo pela terceira vez e o lerão em grupos.

Exercícios B e C

O ponto desenvolvido neste exercício é a concordância de gênero. As cores, apresentadas à p. 57, são material adequado para a fixação do assunto.

Antes de fazer os exercícios, o professor deverá explicar outra vez, brevemente, a concordância dos adjetivos com os substantivos, através do quadro à p. 56 do livro do aluno, fazendo em seguida o exercício B.

O exercício C será feito por escrito. Por este envolver concordância de gênero e número, será aconselhável rever o plural dos substantivos (p. 29).

3.5.2.3. Texto Narrativo — Rios do Brasil

Preparação e apresentação do texto

Antes de abrir os livros, os alunos ouvirão duas vezes o texto narrativo. O professor escreverá, então, algumas afirmações na lousa e os alunos deverão dizer se as frases, segundo o texto, estão certas ou erradas.

Por exemplo:

	Certo	Errado
1. O canal 9 está passando documentários sobre os rios do Brasil.		
2. O filme de ontem foi sobre a construção da usina hidrelétrica.		
3. O filme de amanhã vai ser sobre o rio Amazonas.		

Feito o exercício, o texto será lido pelos alunos. O professor dará as explicações necessárias à compreensão.

Explicação e prática dos itens gramaticais

Exercício A

O exercício A tem por finalidade a prática ativa da língua.

Os alunos responderão as perguntas, mas o professor os estimulará a se estenderem sobre os assuntos sugeridos pelas perguntas.

O professor poderá fazer um exercício adicional, distribuindo a programação de cinema ou televisão e fazendo perguntas sobre os programas que estão passando, horários, preferências etc. mas que estão passando, horários, preferências etc.

Através deste exercício, os alunos fixarão o vocabulário do texto narrativo.

O diatado programado (p. 262) encerrará a Unidade 5.

3.6. Unidade 6

3.6.1. Conteúdo da unidade

Textos
••Diálogo 1: Retrato falado (o corpo humano)
••Diálogo 2: Você está doente?
Texto Narrativo: Brasília

Itens gramaticais
— Presente do Indicativo do verbo irregular **ver**
— Pretérito Perfeito do Indicativo dos verbos irregulares **querer, poder, ver**
— Os pronomes pessoais oblíquos: objeto direto
— Contração da preposição **a** com o artigo definido
— Negação nem...nem
Caderno de Testes: Teste 3.

3.6.2. Sugestões práticas para o ensino

3.6.2.1. Retrato falado

Gramática
— Presente do Indicativo do verbo irregular **ver**
— Pretérito Perfeito do Indicativo dos verbos irregulares **querer, poder, ver**
— Os pronomes pessoais: objeto direto
Expressões
— de mais ou meno 30 anos
— assim?
— assim mesmo
— sem tirar nem pôr

Preparação e apresentação do texto

Antes de ler o diálogo, ou tocar sua gravação o professor deverá introduzir algumas palavras novas contidas no texto.

A introdução deverá ser feita através de material visual.

O professor mostrará diversas fotos de pessoas diferentes aos alunos e descreverá as personagens.

Modelo:

P: Este homem é branco, alto e gordo, com cabelos e olhos castanhos. (*mostrando uma foto com uma pessoa assim, ao mesmo tempo o professor escreverá as palavras novas na lousa.*)

O homem é branco?

A: É, sim.

P: Você pode também descrever os cabelos?

A: Sim, são castanhos.

E assim por diante. O professor descreverá várias fotos.

O professor poderá também descrever diferentes alunos com a finalidade de introduzir palavras novas.

Conhecendo, agora, algumas palavras do diálogo, os alunos poderão, com seus livros fechados, ouvir duas vezes o diálogo de abertura, através da fita ou de leitura pelo professor. Em seguida, abrirão seus livros e ouvirão novamente o diálogo. O professor deverá dar algumas explicações breves sobre o vocabulário. Alcançada a compreensão, os alunos, em seguida, lê--lo-ão em voz alta. O texto será lido várias vezes em grupos pequenos.

O **pequeno diálogo** que se segue deve ser lido uma vez pelo professor e repetido pelos alunos. Ele não deverá oferecer maiores dificuldades, pois retoma as estruturas e palavras do diálogo de abertura.

Com a finalidade de praticar ativamente o vocabulário novo, cada aluno deverá descrever seu tipo ideal. O professor poderá, também, levar os alunos a fazerem um diálogo numa agência de casamentos: um aluno é o agente e outro aluno descreve seu tipo ideal (aspecto físico, idade, temperamento, qualidades, profissão etc.). O assunto, de modo geral, presta--se a diversas atividades orais e escritas que, geralmente, despertam o interesse dos alunos (carta a revistas à procura de uma "alma gêmea", descrição de personalidades do mundo político etc.)

Explicação e prática dos itens gramaticais

Exercício A

Com o exercício A, os alunos deverão aumentar seu vocabulário para a descrição de pessoas.

O exercício será feito por escrito.

O professor poderá fazer outro exercício adicional com a finalidade de praticar a descrição de pessoas.

Cada aluno fará a descrição física e de temperamento de uma pessoa do curso, e a lerá para a classe. Esta deverá adivinhar de quem se trata.

Exercício B

A noção gramatical a ser desenvolvida no exercício B é o Presente do Indicativo do verbo irregular **ver.**

Para a introdução da conjugação, o professor mostrará diversos slides ou fotos:

P: Eu vejo uma cidade grande. (*mostrando foto de uma cidade grande*)
E você? O que você vê? (*mostrando outra foto*)
A: (*o aluno repete*) Vejo...
E assim por diante.

Depois de ter empregado, pelo menos uma vez, todas as pessoas da conjugação, o professor escreverá todas as formas na lousa e continuará o exercício.

Em seguida, os alunos farão o exercício B oralmente.

Exercício C

O Pretérito Perfeito do verbo **ver** é tratado no exercício seguinte. O professor poderá introduzir as formas do Pretérito Perfeito também com ajuda de fotos.

P: Eu vejo uma cidade. (*mostrando a foto de uma cidade*)
Agora vejo um rio grande. (*mostrando uma foto de um rio*)
Antes vi uma cidade e agora vejo um rio. E você? O quê você vê agora e o quê você viu antes?
A: Agora vejo um rio e antes vi uma cidade.

E assim por diante.

Escrita a conjugação na lousa, os alunos farão o exercício C, primeiro por escrito, depois oralmente.

Exercício D

O exercício D retoma a conjugação do verbo irregular **ver** no Presente, Pretérito Perfeito, Futuro Imediato e Presente Contínuo. Os alunos farão o exercício, primeiro por escrito, depois oralmente.

Exercício E

O assunto tratado neste exercício é o Pretérito Perfeito do Indicativo do verbo **querer**.
O professor escreverá toda a conjugação na lousa. Em seguida, os alunos farão o exercício, primeiro por escrito e, depois, oralmente.

Exercício F

O item gramatical a ser desenvolvido no exercício F é a conjugação do verbo irregular **poder** no Pretérito Perfeito do Indicativo.
Como no exercício E, o professor escreverá a conjugação na lousa. Os alunos farão o exercício por escrito. A correção será feita oralmente.

Exercício G

No exercício G, praticam-se as formas do Pretérito Perfeito dos verbos **querer** e **poder**.
Os alunos farão o exercício oralmente.
Terminado o exercício, o professor poderá perguntar aos alunos o que quiseram e puderam fazer ontem e o que os alunos querem e podem fazer hoje. Também os alunos podem fazer perguntas uns aos outros.

Exercícios H, I

A noção gramatical a ser desenvolvida nos exercícios H e I é a dos pronomes pessoais oblíquos (objeto direto).

O professor deverá extrair do diálogo as passagens que introduzem o assunto:

Os olhos são grandes. Eu os vi bem.
As sombrancelhas são bem grossas. Eu as vi muito bem.
Agora, deixe-me ver o retrato.

Os pronomes de 1a. pessoa **me** e **nos** não apresentam dificuldade, o que não ocorre com os pronomes de 3a. pessoa **o(s), a(s).** O assunto deverá ser tratado com cuidado e em etapas.

1a. etapa: O professor apresentará aos alunos o seguinte quadro:

eu	me
ele, ela, você	o, a
nós	nos
eles, elas, vocês	os, as

Em seguida, mostrará aos alunos como se usam esses pronomes:

Eu comprei *a casa* .... Eu a comprei.
Eu vendi *meu carro* .... Eu o vendi.
Eu vi *você*, André .... Eu o vi, André.
Eu chamei *você*, Luciana .... Eu a chamei, Luciana.

Os alunos estarão, então, aptos a fazer os exercícios H e I.

Exercício J

2a. etapa: (a ser dada em outra aula) Nessa etapa, os alunos aprenderão a usar os pronomes **o(s), a(s)** depois de verbos no Infinitivo.

Quero usar *meu dicionário* — Quero usar-o — Quero usá-lo (usar-lo).

O professor dará outros exemplos:

Depois de analisarem o quadro no final da p. 66, os alunos poderão fazer o exercício J.

Exercício L

3a. etapa: (a ser dada numa terceira aula) Nessa etapa, tratar-se-á do emprego dos pronomes oblíquos **o(s), a(s)** depois de verbos com som final nasal.

Eles prepararam a festa   Eles prepararam-na

O professor dará outros exemplos e, em seguida, os alunos farão o exercício L.

Para a fixação do assunto, o professor deverá dar exercícios adicionais, escritos e orais, ao longo das aulas seguintes.

3.6.2.2. Você está doente?

Gramática
— contração da preposição **a** com o artigo definido — Negação **nem... nem**

Expressões
— estar com dor de (cabeça, garganta, ouvido, dente, estômago etc). — estar com dor nas costas — estar com (gripe, tosse, febre) — estar resfriado — linguagem popular e linguagem correta

Preparação e apresentação do texto

O diálogo introduz novas estruturas e expressões. O professor deverá apresentá-lo através da fita ou de leitura. O texto será ouvido duas vezes pelos alunos com seus livros fechados. Depois eles o abrirão e ouvirão o diálogo pela terceira vez. O professor dará algumas explicações necessárias à compreensão. Agora os alunos lerão o diálogo em grupos.

Explicação e prática dos itens gramaticais

Exercício A

O vocabulário referente ao corpo humano e à saúde será trabalhado neste exercício.

O professor lerá as expressões à p. 67 no livro do aluno e dará as explicações necessárias à compreensão através de gestos.

Agora os alunos farão o exercício. Terminado o exercício, o professor fará um exercício comunicativo adicional.

Os alunos devem imaginar que estão doentes e vão ao médico.

Agora um aluno será o médico e outro aluno faz o papel de doente. Como será o diálogo?

Exercício B

A noção gramatical a ser desenvolvida no exercício B é a contração da preposição **a** com o artigo definido.

O professor explicará brevemente o assunto. Em seguida os alunos farão o exercício.

Exercícios C, D

A negação com **nem...nem** é a estrutura a ser desenvolvida nos exercícios seguintes. O professor explicará a estrutura através das frases dadas no livro do aluno à p. 69. Em seguida os alunos farão os exercícios, que não devem apresentar maiores dificuldades.

O pequeno diálogo

O assunto tratado no pequeno diálogo é o contraste entre a linguagem popular e a linguagem culta.

O professor poderá explicar que há diversas variantes do Português no Brasil: o caipira, a linguagem dos nordestinos, dos gaúchos, entre outras.

De modo geral, algumas características fundamentais da linguagem popular na área gramatical são: o uso do singular pelo plural, a redução de palavras (tá = está), o uso de **ter** por **haver**, a colocação pronominal livre, com tendência para a próclise, a eliminação do r final, o uso do **em** por **para**.

Mas o professor deverá explicar a existência dessas diferenças de modo geral. Os alunos é que devem ler os dois textos e descobrir, por si mesmos, as diferenças. O trabalho poderá ser feito em grupos pequenos. Em seguida, as diferenças serão nomeadas explicitamente. Depois, os alunos farão o exercício A sozinhos ou em grupos.

3.6.2.3. Texto narrativo — Brasília

Preparação e apresentação do texto

A introdução ao texto será feita por slides ou fotos. Os slides ou fotos devem mostrar os pontos comentados no texto.

A ordem do texto determina a ordem das fotos.

Depois o professor lerá o texto e explicará as estruturas e palavras desconhecidas. Em seguida, os alunos lerão o texto, parte por parte, para eliminar as dificuldades nele contidas. Compreendido o texto integralmente, far-se--á a leitura final.

Exercício A

As questões sobre o texto poderão ser respondidas por escrito ou oralmente.

Encerrada a Unidade 6, os alunos farão o Teste 3 do Caderno de Testes.

3.7. Unidade 7

3.7.1. Conteúdo da unidade

Textos

Diálogo 1: Fazendo compras
Diálogo 2: Propaganda
Texto Narrativo: São Paulo e as Feiras
Industriais
Ditado

Itens gramaticais

— Presente do Indicativo dos verbos irregulares **fazer, dizer, dar, pôr** e **trazer.**
— Pretérito Perfeito do Indicativo dos verbos irregulares **fazer, dizer, dar, pôr** e **trazer.**
— Os pronomes pessoais oblíquos (objeto indireto).
— Pronomes possessivos.
— Pronomes indefinidos.
— Pronomes-adjetivos indefinidos: todo, todo o, tudo

3.7.2. Sugestões práticas para o ensino

3.7.2.1. Fazendo compras

Gramática

— Presente do Indicativo dos verbos irregulares **fazer, dizer, dar, pôr** e **trazer**
— Pretérito Perfeito do Indicativo dos verbos irregulares **fazer, dizer, dar, pôr** e **trazer.**
— Pronomes pessoais oblíquos (objeto indireto).
— Pronomes possessivos: o meu, a minha.
— Pronomes indefinidos: todo, todo o, tudo.

Estruturas

— ter garantia
— dar garantia

Expressões

— quanta gente
— todo mundo
— um monte de roupa
— claro!

Preparação e apresentação do texto

Para a introdução do diálogo de abertura o professor precisa de um folheto de propaganda de utilidades domésticas.

Na aula, mostrará uma página com artigos domésticos e nomeará os artigos.

P: Isso é uma máquina de lavar. (*mostrando uma máquina de lavar*)
   O que é isso?

A: É uma máquina de lavar.
P: O modelo lava e seca a roupa e é muito econômico. Custa...
   Que qualidades tem a máquina?
A: ...

Feita a introdução de algumas palavras novas, o diálogo de abertura será ouvido duas vezes pelos alunos com seus livros fechados.

Depois, com seus livros abertos, os alunos ouvirão o texto outra vez.

Em seguida, o professor dará algumas explicações necessárias à compreensão. Agora os alunos lerão o diálogo.

O **breve diálogo** no alto da p. 73 será lido uma vez pelo professor e repetido pelos alunos.

Depois os alunos farão, eles mesmos, diálogos deste tipo.

Um aluno faz o papel de vendedor e outro o de cliente. Para facilitar o exercício, o professor pode também dar a cada aluno uma descrição de um artigo que deve comprar ou vender.

Explicação e prática dos itens gramaticais

Exercícios A, B

Os itens gramaticais nos exercícios seguintes são o Presente e o Pretérito Perfeito do Indicativo do verbo irregular **fazer**.

Para a introdução das formas, o professor fará um exercício comunicativo.

P: Hoje eu não faço compras porque fiz compras ontem. E você?
A: Eu...

Assim o professor perguntará por várias coisas.

Em seguida, todas as formas de **fazer** serão escritas na lousa.

Agora o exercício A será feito por escrito e corrigido oralmente.

O exercício B será feito oralmente.

Exercícios C, D

O Presente do Indicativo e o Pretérito Perfeito do Indicativo do verbo irregular **dar** são tratados nestes exercícios.

O professor escreverá as duas conjugações na lousa. Em seguida, os alunos farão os dois exercícios.

Exercícios E, F

A noção gramatical dos exercícios E e F é a conjugação do verbo **pôr** no Presente e no Pretérito Perfeito do Indicativo.

O professor escreverá todas as formas na lousa e os alunos farão os exercícios.

Exercícios G, H

As formas verbais a serem desenvolvidas nos exercícios G e H são as conjugações do Presente e do Pretérito Perfeito do Indicativo do verbo irregular **dizer**.

O professor poderá distribuir uma história em quadrinhos e perguntar:

P: O que o homem diz na primeira imagem?
A: O homem diz...
E assim por diante.

Ou o professor trará um diálogo desconhecido com vários interlocutores e perguntará o que os interlocutores dizem ou disseram.

Depois de ter usado uma vez todas as formas do verbo **dizer**, o professor escreverá as formas na lousa. Agora os alunos farão os exercícios G e H.

Feitos todos os exercícios, o professor fará outro exercício adicional para praticar as formas verbais no Pretérito Perfeito.

O professor perguntará várias coisas aos alunos:

P: O que você fez ontem?
   Onde você passou as férias?
   Você pôs a mesa ontem? etc.

Os alunos poderão também escrever um pequeno resumo sobre suas atividades de ontem ou sobre suas férias passadas.

As formas dos verbos irregulares, de todos eles, devem ser fixadas através de exercícios constantes ao longo das Unidades — até a Unidade 11. Os exercícios poderão variar grandemente:

— Passe para o Pretérito Perfeito:
   Eu não dou gorjeta.
— Passe para o plural:
   Eu ponho flores no vaso.
— Dê respostas curtas:
   Você esteve lá? (— Estive)
— Responda:
— Por que você faz / fez isso assim? (—Eu faço / fiz...)

O professor deverá, por todos os meios, levar o aluno a automatizar as formas verbais, regulares ou não, pois, sem elas, jamais alcançará fluência na língua.

O pequeno diálogo

O pequeno diálogo será lido uma vez pelo professor. Depois o professor dará as explicações necessárias à compreensão. Em seguida, os alunos lerão o diálogo.

Para praticar as novas palavras, o professor poderá fazer algumas perguntas a respeito do texto.

Depois os alunos poderão também fazer um diálogo em que um aluno faz o papel de vendedor e outro o de cliente. O professor dará algumas informações sobre os produtos que deverão ser anunciados pelo vendedor.

A conversa poderá ser desenvolvida a partir do texto do livro, incorporando alterações.

Exercício I

A noção gramatical a ser desenvolvida neste exercício é o pronome pessoal oblíquo lhe(s).

O professor deverá indicar aos alunos a passagem do diálogo de abertura onde este se encontra e perguntará qual é a diferença entre o pronome usado no texto e os pronomes oblíquos diretos já conhecidos.

Vou lhe dar um folheto.

Em seguida, os alunos farão, por escrito, o exercício I. A correção será feita oralmente.

Exercício J

O item gramatical a ser introduzido no exercício J é o pronome possessivo.

O professor escreverá todos os pronomes possessivos na lousa. Em seguida, os alunos farão o exercício.

Feito o exercício, o professor fará um exercício adicional comunicativo.

P: De quem é o livro amarelo?

A: É de Peter. É dele.

E assim por diante.

Exercício L

Os pronomes indefinidos **tudo, todo, todo o** etc. são explicados neste exercício. O professor extrairá as frases do diálogo que introduzem o assunto:

— Ela faz tudo.

— Mas todas as máquinas modernas fazem isto.

A partir destas frases, o professor explicará o uso de **tudo** e de **todo, todo o**.

Feito isso, poderá completar o assunto, mostrando a diferença entre **todo** e **todo o**. Os alunos poderão, em seguida, fazer, por escrito, o exercício L. A correção será feita oralmente.

3.7.2.2. Propaganda

Gramática
— Presente do Indicativo do verbo irregular **trazer**
— Pretérito Perfeito do Indicativo do verbo irregular **trazer**

Expressões
— falar pelos cotovelos
— estar com dor-de-cotovelo
— não ter pé nem cabeça
— estar de olho em
— ser o braço direito de alguém
— estar com a pulga atrás da orelha
— dar com a língua nos dentes

Preparação e apresentação do texto

Os alunos ouvirão o diálogo duas vezes com seus livros fechados. Livros abertos, o diálogo será ouvido pela terceira vez.

Depois das explicações necessárias à compreensão, os alunos lerão o diálogo, em grupos.

O professor deverá só introduzir lexicamente os imperativos contidos no diálogo: experimente, vejam, use.

Depois os alunos poderão inventar uma propaganda de casa, roupas, alimentos etc.

Explicação e prática dos itens gramaticais

Exercício A

O Presente do Indicativo do verbo irregular **trazer** é o item gramatical a ser desenvolvido no exercício.

O professor escreverá toda a conjugação na lousa. Agora os alunos farão o exercício oralmente.

Exercício B

A estrutura a ser desenvolvida é o Pretérito Perfeito do verbo irregular **trazer**. Toda a conjugação será escrita na lousa. Em seguida o exercício será feito.

Exercício C

As expressões à p. 79 do livro do aluno são introduzidas e praticadas no exercício C.

O professor lerá as expressões em voz alta e os alunos tentarão explicar o sentido com suas próprias palavras. Depois o professor explicará o sentido das expressões.

Em seguida, os alunos farão o exercício.

Verbos — revisão

O exercício será feito por escrito ou oralmente.

Terminado o exercício, todos os tempos verbais empregados neste exercício serão escritos na lousa. Cada aluno escreverá uma forma.

3.7.2.3. Texto narrativo — São Paulo e as feiras industriais

Preparação e apresentação do texto

A introdução das palavras do texto narrativo pode ser feita através de slides ou fotos de São Paulo dos tempos passados e de hoje.

Depois o professor lerá uma vez o texto.

Em seguida, ou o professor explicará as palavras necessárias à compreensão ou os alunos trabalharão com seus dicionários.

O professor deverá explicar lexicamente as formas verbais do Imperfeito **era** e **estava** e dizer que se trata de um novo tempo verbal que vai ser introduzido na unidade seguinte.

Em seguida, o texto será lido pelos alunos. Depois o professor fará perguntas a respeito do texto.

Por ex.: o que é São Paulo? / Quem fundou a cidade? / Qual fator foi importante para o desenvolvimento de São Paulo? etc.

Em seguida os alunos poderão escrever um pequeno texto sobre sua cidade, quando foi fundada, onde fica etc. O trabalho poderá ser feito em grupos ou individualmente.

Explicação e prática dos itens gramaticais

Exercício A

A formulação de perguntas com pronomes e advérbios interrogativos é retomada neste exercício. A critério do professor, o exercício poderá ser feito por escrito ou oralmente. Se os alunos apresentarem dificuldades, o professor fará mais exercícios com a classe.

São Paulo da garoa

Trata-se de uma canção antiga muito popular em São Paulo — é equivalente à **Cidade Maravilhosa** para o Rio de Janeiro.

Antigamente, São Paulo era, de fato, caracterizada por noites frias e garoas constantes. O clima mudou e, atualmente, garoa muito pouco na cidade.

A Unidade 7 será encerrada com um ditado (p. 262).

3.8. Unidade 8

3.8.1. Conteúdo da Unidade

Textos

⊙⊙Diálogo 1: Falando de televisão
⊙⊙Diálogo 2: Os quindins de Iaiá (uma receita brasileira)
Texto Narrativo: Usos e costumes (Bahia-Ceará-Rio Grande do Sul)

Itens gramaticais

— Presente do Indicativo dos verbos irregulares **vir, saber, ler**
— Pretérito Perfeito do Indicativo dos verbos irregulares **vir, saber, ler**
— Pretérito Imperfeito do Indicativo
  * Formas regulares (verbos em – **ar**, – **er**, – **ir**)
  * Formas irregulares (verbos **ser, ter, pôr, vir**)
  * Empregos do Pretérito Imperfeito do Indicativo
— Comparativo regular dos adjetivos
— Comparativo irregular dos adjetivos: **melhor, pior, maior, menor**
— Pronomes pessoais: mim, comigo, conosco
— Haver = existir   andar = estar

Caderno de Testes:
Teste 4

3.8.2. Sugestões práticas para o ensino

3.8.2.1. Falando de televisão

Gramática

— Pretérito Imperfeito do Indicativo
  * Formas regulares (verbos em – **ar**, – **er**, – **ir**)
  * Formas irregulares (verbos **ser, ter, pôr, vir**)
  * Empregos do Pretérito Imperfeito do indicativo
— Comparativo regular dos adjetivos
— Comparativo irregular dos adjetivos; **melhor, pior, maior, menor**

Expressões

— a gente
— por falar nisso
— o que vai passar
— se não me engano
— andar (contente) = estar (contente)

Preparação e apresentação do texto

Livros fechados, os alunos ouvirão o texto uma ou duas vezes. Depois de algumas perguntas genéricas do professor para avaliar a compreensão dos alunos, o texto será lido novamente. Os alunos apontarão, então, o novo tempo verbal: **gostava / saía / estava lendo**.

O professor apresentará as formas do verbo (regulares em – **ava**, e – **ia**; irregulares para os verbos, **ter, ser, pôr, vir**). Em seguida, tratará dos empregos do tempo (p. 84).

O uso do Pretérito Imperfeito do Indicativo, em contraste com o Perfeito do Indicativo, é um dos pontos **críticos** do ensino de Português para estrangeiros. A introdução do assunto nesta altura do curso não o esgota; antes, apenas o inicia. As quatro situações apontadas à p. 84 são básicas e o professor deve deixá-las bem claras, dando e pedindo muitos exemplos.

O pequeno diálogo

Após a explicação sobre o emprego do novo tempo verbal, o professor lerá o pequeno diálogo à p. 83. Os alunos o ouvirão e resumirão seu conteúdo oralmente. Em seguida, o lerão. Depois disso, com a orientação do professor, poderão fazer diálogos semelhantes.

Exercícios A, B, C, D

Cada um desses exercícios' corresponde a cada uma das situações apresentadas à p. 84 (Ex. A → 1a. situação...). Ao fazer com seus alunos a seqüência A, B, C, D, o professor deve enfatizar os quatro empregos diferentes do tempo, não permitindo o simples preenchimento automático de lacunas.

Exercícios E, F

Este pequeno exercício encerra toda a complexidade do uso do pretérito Perfeito e Imperfeito em Português. Outros textos semelhantes ajudarão os alunos a dominarem a dificuldade.

Como exercícios adicionais, o professor poderá levar os alunos a:

1. Narrarem, no passado, um história apresentada através de sequência fotográfica ou de quadrinhos.
2. Completarem um texto no passado, no qual faltem os verbos.
3. Narrarem um filme em vídeo apresentado à classe.
4. Narrarem episódios pessoais (férias, fim-de-semana, um incidente).

Exercício G

O ponto gramatical tratado no exercício G é o comparativo dos adjetivos: tão... quanto; menos... (do) que; assim como as formas irregulares **melhor, pior, maior** e **menor**.

65

A introdução da estrutura será feita através dos desenhos à p. 88 do livro do aluno ou através da descrição da estatura dos alunos.

Uma tabela de preços ou uma propaganda de artigos com preços pode servir também para introduzir ou praticar o comparativo. O professor perguntará se um artigo é mais barato ou mais caro que outro artigo.

Em seguida será feito o exercício.

O pequeno diálogo

O pequeno diálogo será lido uma vez pelo professor. Em seguida, os alunos o lerão.

Depois, o professor explicará as expressões **andar contente** e **estar contente**, assim como o emprego dos verbos **existir** e **haver**.

Exercício H

Os itens a serem explicados são o emprego dos verbos **haver** e **existir**, assim como as expressões **andar contente** e **estar contente**.

Os alunos farão o exercício depois da leitura do pequeno diálogo e das explicações dadas pelo professor.

3.8.2.2. Os quindins de Iaiá

Gramática
— Presente do Indicativo dos verbos irregulares **vir, ler** e **saber**
— Pretérito Perfeito do Indicativo dos verbos irregulares **vir** e **saber**
— Imperfeito do Indicativo do verbo irregular **vir**
— Pronomes pessoais: **para mim, comigo, conosco, sem mim, por mim, em você**
— Revisão de pronomes

Preparação e apresentação do texto

Antes de ler o texto ou tocar sua gravação, o professor deverá introduzir algumas palavras novas.

O professor introduzirá o vocabulário de cozinha, mostrando os diversos utensílios de cozinha e os ingredientes para os quindins de coco.

Também podem ser mostrados outros ingredientes.

Se a escola dispuser de uma cozinha, os alunos e o professor poderão preparar os quindins ou fazer outros pratos típicos brasileiros. Na oportunidade, o professor introduzirá vocabulário novo (ingredientes e utensílios de cozinha).

Dadas as explicações iniciais, o texto será introduzido como sempre: livros fechados, os alunos ouvirão duas vezes a fita ou a leitura feita pelo professor. Livros abertos, o diálogo será ouvido pela terceira vez. Depois das explicações necessárias à compreensão, sempre concisas, os alunos lerão o diálogo.

Atividades extras sugeridas pelo texto:

— apresentação de receitas diversas pelos alunos

— festa na aula, com conversa estritamente em português e pratos e receitas apresentados pelos alunos

— organização de festa fictícia, com lista de comes e bebes e respectiva lista de compras feitas pelos alunos.

Explicação e prática dos itens gramaticais

Exercícios A, B

O item gramatical a ser praticado nestes exercícios é o Presente do Indicativo dos verbos irregulares vir, saber e ler.

Com a finalidade de introduzir as conjugações, o professor extrairá três formas verbais do diálogo:

Quem **vem** amanhã...?

... não **sei** como.

Leio a receita com atenção.

Agora os alunos adivinharão o Infinitivo destes verbos.

Em seguida, o professor escreverá todas as conjugações na lousa.

Depois os alunos farão os exercícios A e B.

Exercícios C, D

As noções gramaticais a serem desenvolvidas aqui são as formas do Pretérito Perfeito dos verbos irregulares vir, saber e ler.

A introdução pode ser feita através de diálogos. Por ex.:

P: Eu li o jornal ontem. E você? Você também leu o jornal ontem?

A: Li, sim. ou: Não, não o li.

Depois os alunos farão os exercícios.

Exercícios E, F

O Pretérito Imperfeito do Indicativo será praticado nestes exercícios.

A introdução das formas será feita como nos exercícios A – D. Os alunos farão os exercícios em seguida.

67

Exercício G

Este exercício encerra o assunto. Todos os tempos dos verbos **vir, saber, ler**, serão praticados. Os alunos deverão fazer o exercício por escrito. A correção será feita oralmente.

Exercício H

Os itens gramaticais a serem desenvolvidos no exercício são os pronomes oblíquos antecedidos de preposição: para mim, sem nós, por você, comigo...
O professor dará a explicação através dos exemplos à p. 93 do livro do aluno. Também escreverá todos os pronomes com as preposições na lousa. O professor deverá chamar a atenção dos alunos para os pronomes que aparecem com a preposição **com**. Essas formas (comigo, conosco) constituem-se em exceções.

Dada a explicação, as formas serão praticadas através de perguntas do professor: Você vai comigo à festa? O livro é para mim? Você quer falar comigo ou com ele?
Agora o exercício será feito por escrito. A correção será feita oralmente.

Exercício I

Os pronomes oblíquos diretos e indiretos e os pronomes antecedidos de preposição são retomados neste exercício. Ele será feito por escrito. A correção será feita oralmente.

3.8.2.3 Texto Narrativo — Usos e Costumes — Bahia, Ceará, Rio Grande do Sul

Preparação e apresentação do texto

O texto será introduzido através de um mapa e de fotos e/ou slides.
No mapa, o professor localizará a Bahia, o Ceará e o Rio Grande do Sul. Falará um pouco de cada um dos estados, sem antecipar as informações contidas no texto, mas facilitando a posterior compreensão delas pelos alunos.

Em seguida, o professor lerá o texto, os alunos ouvirão e o lerão depois, com os esclarecimentos necessários dados pelo professor.

Para enriquecer a aula, o professor poderá, depois, mostrar outras fotos ou slides das regiões em pauta, responder a perguntas sobre elas e discutir com os alunos pontos, sugeridos pelo material e pelas perguntas feitas.

Explicação e prática dos itens gramaticais

Exercício A

As perguntas serão respondidas individualmente ou em grupos.

Respondidas as perguntas, os alunos poderão falar sobre usos e costumes de seus países ou regiões, por escrito ou oralmente.

Terminada a Unidade, os alunos farão o Teste 4 do Caderno de Testes.

3.9. Unidade 9

3.9.1. Conteúdo da unidade

Textos

    [••]Diálogo 1: Bons tempos aqueles...

    [••]Diálogo 2: Dinheiro curto

        Texto Narrativo: Uma lenda indígena — A Vitória Régia

    [••]ditado

Itens gramaticais

    — Presente do Indicativo dos verbos de 3a. conjugação que mudam a vogal temática *e* em *i* na primeira pessoa do singular do Presente do Indicativo.

    — Pretérito Perfeito e Pretérito Imperfeito do Indicativo dos mesmos verbos.

    — Os verbos reflexivos (pronominais).

    — Presente do Indicativo dos verbos irregulares **pedir** e **ouvir**

    — Pretérito Perfeito e Imperfeito do Indicativo dos mesmos verbos.

    — Pronomes pessoais oblíquos: diretos, indiretos e reflexivos (Quadro Geral).

    — Superlativo relativo e absoluto dos adjetivos.

    — Superlativo irregular de alguns adjetivos: mau, péssimo — bom, ótimo — agradável, agradabilíssimo — fácil, facílimo etc.

3.9.2. Sugestões práticas para o ensino

3.9.2.1. Bons tempos aqueles...

Gramática

    — Presente do Indicativo dos verbos de 3a. conjugação que mudam a vogal temática **e** em **i** na primeira pessoa do singular do Presente do Indicativo: sentir, vestir, servir, divertir, preferir.

    — Pretérito Perfeito e Imperfeito dos mesmos verbos.

    — Pronomes pessoais oblíquos: quadro geral.

Estruturas
— mal posso + infinitivo
Expressões
— na hora H

Preparação e apresentação do texto

O professor introduzirá a Unidade diretamente com o diálogo de abertura. O diálogo será ouvido ou lido duas vezes. Depois, os alunos abrirão seus livros para ouvir o texto outra vez. O professor explicará, então, as palavras necessárias à compreensão. Em seguida, os alunos lerão o diálogo.

Para melhorar a compreensão oral dos alunos, o professor poderá fazer o exercício a seguir:

Acidente — Uma colisão envolvendo três veículos na madrugada, de ontem, no Km 24 da rodovia dos Imigrantes, causou a morte de uma pessoa. No momento do acidente, a visibilidade no local estava praticamente reduzida a zero, em virtude da fumaça provocada por fogo em um depósito clandestino de lixo na beira da rodovia.

Os alunos ouvirão duas vezes o texto "Acidente" ou um texto parecido, e o professor fará perguntas gerais: Quando aconteceu o acidente?

Onde aconteceu?

Quantas pessoas morreram?

Quantos veículos foram envolvidos?

Por que aconteceu o acidente?

Depois das respostas às perguntas e da leitura do texto pelos alunos, estes deverão fazer diálogos a partir das informações do acidente. Um aluno será testemunha do acidente e outro, o policial.

O policial fará perguntas à testemunha e esta descreverá como aconteceu o acidente. Também poderá dar um retrato das pessoas envolvidas, repetindo o vocabulário da Unidade 6.

Para a introdução do **pequeno diálogo** da p. 98, o professor serve-se do mapa meteorológico de um jornal. O vocabulário meteorológico será introduzido através do desenho e dos textos informativos. Depois o professor perguntará pelo tempo nas diferentes regiões.

Tempo

Brasil

O tempo é bom no leste e nordeste do país, com reflexos para o centro--oeste. Chuvas nas costas norte e nordeste e no oeste da Amazônia. No sul, há frente fria, com temperatura em declínio.

São Paulo

A frente fria no sul influencia o Estado, principalmente na costa e estreita faixa do planalto. O tempo tende a ser bom no interior, com pancadas de chuva à tarde. Temperatura em ligeiro declínio no leste do Estado.

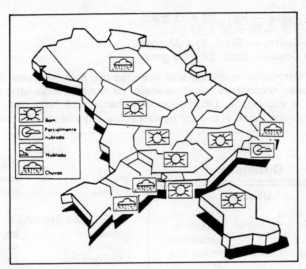

Brasília — Bom: 18 a 32 graus.
Rio de janeiro — Bom: 24 a 35 graus.
Belo Horizonte — Bom: 18 a 32 graus.
Cuiabá — Bom: 24 a 35 graus.
Curitiba — Instável, com chuvas: 16 a 28 graus.
Fortaleza — Instável, com chuvas: 23 a 32 graus.
Manaus — Instável, com chuvas; 23 a 32 graus.
Norte do Paraná — Instável: 16 a 28 graus.
Porto Alegre — Instável, com chuvas: 16 a 28 graus.
Recife — Bom, nebulosidade variável: 25 a 33 graus.
Salvador — Bom: 25 a 33 graus.
Sul de Minas — Bom: 18 a 30 graus.

Agricultura — Com a entrada do outono, a freqüência da frente fria sobre o sudeste diminui e as chuvas têm lugar apenas ao longo da costa. Excepcionalmente haverá instabilidade no interior.

Grande São Paulo — Parcialmente nublado, com pancadas de chuva à tarde: 18 a 30 graus.

Santos — Parcialmente nublado: 23 a 32 graus.

Litoral Norte — Parcialmente nublado, com pancadas de chuva à tarde: 23 a 32 graus.

71

Vale do Paraíba — Parcialmente nublado, com pancadas de chuva ocasionais à tarde: 18 a 30 graus. Temperatura entre 17 e 29 graus.
Litoral Sul — Parcialmente nublado, com pancadas de chuva ocasionais à tarde: 23 a 32 graus.
Vale do Ribeira — Parcialmente nublado, com pancadas de chuva à tarde: 18 a 30 graus.
Região Norte — Bom: 20 a 33 graus.
Região Sul — Bom 20 a 33 graus.
Região Centro — Bom: 20 a 33 graus.
Região Oeste — Bom: 20 a 33 graus.

Feita a introdução, o diálogo será lido uma vez pelo professor. Dadas as explicações necessárias à compreensão, os alunos o lerão uma vez. Para praticar o vocabulário, um diálogo semelhante será feito com ajuda do mapa meteorológico e as informações sobre a qualidade das praias.

Praias
Qualidade

Ubatuba

Amambuca	excelente
Vermelha do Norte	excelente
Perequê-Açu	excelente
Iperoig	muito boa
Taguá	imprópria
Tenório	excelente
Grande	excelente
Toninhas	imprópria
Enseada	satisfatória
Perequê-Mirim	imprópria
Soco da Ribeira	imprópria
Lázaro	satisfatória
Dura	muito boa
Lagoinha	muito boa
Maranduba	satisfatória

Caraguatatuba

Tabatinga	muito boa
Mococa	muito boa
Cocanha	excelente
Moçoguaçu	boa
Martim de Sá	excelente
Prainha	muito boa
Grande	excelente
Indaiá	imprópria
Pan Brasil	imprópria
Palmeiras	muito boa
Lagoa	satisfatória

Ilhabela

Sino	muito boa
Siriúba	excelente
Ilhabela	muito boa

São Sebastião

Enseada	imprópria
Cigarras	satisfatória
São Francisco	satisfatória
Pontal da Cruz	imprópria
Centro	imprópria
Barequeçaba	muito boa
Guaecá	boa
Toque-Toque G.	boa
Toque-Toque P.	satisfatória
Paúba	boa
Maresia	boa
Boiçucanga	boa
Camburi	boa
Baleia	boa
Saí	boa
Preta	boa
Juqueí	boa
Una	boa
Boracéia	boa

Santos-Bertioga

Boracéia	excelente
Guaratuba	excelente
São Lourenço	excelente
Bertioga	excelente

Guarujá		Itanhaém	
Perequê	imprópria	Suarão	excelente
Pernambuco	excelente	Itanhaém	imprópria
Enseada	muito boa	Prainha	imprópria
Pitangueiras	excelente	Sonho	excelente
Guarujá	excelente	Enseada	excelente
Tombo	imprópria		
Guaiúba	muito boa	**Peruíbe**	
Santos		Peruíbe	excelente
Ponta da Praia	imprópria	Prainha	boa
Boqueirão	limprópria		
Gonzada	imprópria	Fonte: Cetesb	
José Menino	imprópria		

Explicação e prática dos itens gramaticais

Exercício A

O item gramatical a ser desenvolvido neste exercício é a conjugação dos verbos de 3a. conjugação que mudam a vogal temática e em i na primeira pessoa do singular do Presente do Indicativo. Os verbos são tratados no Presente, Pretérito Perfeito e Imperfeito do Indicativo.

O professor escreverá na lousa a conjugação do verbo **sentir** no Presente, chamando a atenção para a irregularidade.

Em seguida, a classe conjugará os outros verbos. O professor, depois, fará rápidas perguntas para a aplicação da informação.

P: O que você **sente** quando anda na rua no inverno?
A: Eu **sinto** frio

Em seguida, os alunos farão o exercício A.

O pequeno texto

Os alunos deverão ler o texto e o professor explicará as palavras necessárias à compreensão.

Exercícios A, B, C, D

O professor deverá conjugar com a classe alguns verbos pronominais (levantar-se, lavar-se, servir-se, vestir-se...).

Em seguida, o professor levará o texto "A Decisão", à p. 100. Nele há verbos pronominais reflexivos e recíprocos. Para alunos de fala inglesa a informação é importante porque em inglês o **se** (Eles se amam/ Eles se vestem) tem duas traduções (**themselves** e **each other**).

Estabelecidos os dois sentidos de **se**, os alunos farão os exercícios A e B.

O exercício C pode apresentar dificuldades para alunos fracos, por isso o professor deverá ter certeza de que o aluno compreende o sentido das frases.

O exercício D poderá ser feito oralmente. O professor poderá inclusive aumentá-lo, incluindo outros verbos.

Os pronomes reflexivos poderão ser fixados em exercícios adicionais: descrição pelo aluno de seu dia-a-dia, narração de histórias em quadrinhos etc.

O quadro geral de pronomes pessoais é de grande valia para o aluno, que deverá recorrer a ele quando tiver dúvidas sobre o assunto.

3.9.2.2. Dinheiro Curto

Gramática
— Presente, Pretérito Perfeito e Imperfeito dos verbos irregulares **pedir** e **ouvir**. — Superlativo relativo e absoluto dos adjetivos. — Alguns superlativos especiais: ótimo, péssimo, agradabilíssimo, facílimo.
Estruturas
— ter de + Infinitivo / ter que + Infinitivo — acabar de + Infinitivo
Expressões
— estar na contramão / entrar na contramão — esta rua é mão única. / Esta rua não dá mão — esta rua é duas mãos. / Ela dá mão — virar à direita / esquerda — ir reto — estar em obras etc.

Preparação e apresentação do texto

O professor divide o texto da p. 103 em diversas partes (cada frase forma uma parte) e escreve cada uma das frases em um papel. Antes de os alunos ouvirem o texto, o professor os dividirá em três ou quatro grupos. Todos os grupos recebem os papéis. Agora o texto será ouvido duas vezes, com livros fechados. Depois os alunos deverão reconstruir a estória com ajuda dos papéis. O grupo que terminar primeiro será o vencedor.

Feita a reconstrução da história, o texto será ouvido outra vez. Depois das explicações necessárias à compreensão , os alunos lerão o texto. Em seguida o professor fará algumas perguntas a respeito.

Explicação e prática dos itens gramaticais

74

Exercício A

O ponto gramatical a ser desenvolvido é o superlativo relativo dos adjetivos — formas regulares e irregulares.

Para a explicação do assunto, o professor extrairá a frase com o superlativo do texto: Ela queria ficar nos melhores hotéis e comer nos restaurantes mais famosos.

O professor explicará a formação do superlativo relativo e apontará para as formas irregulares. O exercício será feito primeiramente por escrito. A correção será feita oralmente.

Exercícios B, C

O superlativo absoluto será tratado nos exercícios seguintes. Os alunos devem extrair os superlativos absolutos do texto:

Voltou impressionadíssima...

Os hotéis estão caríssimos.

Extraídos os exemplos, a estrutura será explicada pelo professor com ajuda do quadro à p. 103 do livro do aluno. Também as formas irregulares serão introduzidas. Agora os exercícios B e C serão feitos por escrito.

O exercício C poderá ser feito em grupo, sob forma de anúncio publicitário de televisão, por exemplo. A partir do modelo do exercício C, os alunos poderão criar outros.

O professor tem outras possibilidades de desenvolver o uso do superlativo.

1. O professor poderá apresentar um texto descrevendo a inflação no Brasil, com alguns exemplos. A partir do texto os alunos podem discutir a situação e os problemas empregando o superlativo.

2. Dois alunos podem fazer um diálogo discutindo vantagens e desvantagens de um itinerário de viagem, tomando em consideração o custo de vida dos países. Os alunos devem usar o superlativo.

3. Se os alunos forem de países diferentes, cada um deles poderá dar informações sobre um aspecto de seu país. A partir dos dados apresentados, o grupo de alunos poderá encetar uma discussão tendo sempre em vista que o alvo do exercício é o uso do superlativo.

4. Um aluno, no papel de vendedor, tudo fará para vender seu produto a outro aluno, que relutará em comprá-lo.

Exercício D

O ponto gramatical do exercício é a conjugação dos verbos **pedir** e **ouvir,** irregulares na 1ª pessoa do Presente do Indicativo. O professor retomará rapidamente a conjugação destes verbos, nos tempos conhecidos e, em seguida, os alunos farão o exercício por escrito.

Exercício E

A estrutura **acabar de** é estudada neste exercício.

O professor dará alguns exemplos: Eu acabei de escrever na lousa. Eu acabei de abrir a porta. Agora acabei de fechá-la.

Em seguida forçará os alunos a usar a estrutura:

P: Onde está sua colega?
A: Ela acabou de sair.
P: Você acabou de aprender a conjugação do verbo pedir?
A: Acabei, sim.

Depois os alunos farão perguntas uns aos outros.

Para encerrar o assunto, os alunos farão o exercício E.

Exercício F

Mal + verbo

O professor retomará o uso desta estrutura no diálogo de abertura (p. 98) e em "Dinheiro curto" (p. 103). Em seguida dará mais alguns exemplos:
Ele fala muito baixo. Eu mal posso ouvi-lo.
O bife está muito duro. Eu mal posso cortá-lo.
Os alunos poderão, agora, fazer o exercício do livro.

Exercícios G, H, I

As expressões **ter de + Infinitivo** e **ter que + infinitivo** correspondem ao verbo **precisar**.
O professor dará alguns exemplos:
Vocês precisam estudar português. Vocês têm que estudar português.
Dado vários exemplos, os alunos farão os exercícios.

Exercício J

O vocabulário de trânsito e indicação de trajeto serão tratados aqui. O vocabulário a respeito será introduzido através dos sinais de trânsito com um processo de aprendizagem ativo. Antes da leitura do texto correspondente aos sinais, o professor escreverá dois campos de vocabulários diversos na lousa. Um será para as palavras referentes ao trânsito e outro para as expressões a respeito da indicação de trajeto. Lendo as descrições dos sinais, os alunos indicarão que expressão corresponde a que campo de vocabulário. Feita a lista, o professor estendê-la-á. Agora o exercício J será feito em grupos pequenos, por escrito. O controle será realizado oralmente.

Como exercícios adicionais o professor tem várias possibilidades:

1, Os alunos devem descrever o trajeto a pé ou de carro a várias partes da cidade a partir da escola.
2. O professor distribuirá uma planta da cidade. Com a ajuda da planta, poderão ser feitos dois exercícios:

— os alunos farão um diálogo: um aluno pergunta o caminho a outro, explicando também sua posição. O outro aluno lhe indicará o caminho.

— cada aluno descreverá um trajeto, dando algumas informações a respeito de seu ponto de partida. Seus colegas deverão adivinhar onde ele chegou.

3. Os alunos podem descrever seu caminho para casa a partir da escola.

Exercício L

Os sinais de estrada.

O professor lerá as informações correspondentes aos sinais e explicará seu sentido. Em seguida os alunos farão o exercício L.

Para praticar o vocabulário, outro exercício adicional poderá ser feito. Cada aluno conta uma história de viagem de carro a uma cidade brasileira a outra descrevendo o caminho pormenorizadamente.

3.9.2.3. Texto Narrativo — Uma lenda indígena

Estruturas
— mesmo + gerúndio
Expressões
— a todo custo

Preparação e apresentação do texto

A lenda será lida uma vez pelo professor com ou sem apresentação inicial do vocabulário desconhecido. Em seguida, os alunos responderão às perguntas referentes ao texto, em grupos pequenos, com ou sem dicionário.

O texto, sem dúvida, apresentará dificuldades aos alunos, não só por seu nível de linguagem, mas também por sua qualidade fantástica. Resolvidas todas as dúvidas, os alunos lerão uma vez mais a lenda e a reproduzirão com suas próprias palavras.

O professor poderá, depois, trocar idéias com os alunos sobre lendas em geral e contar-lhes outras lendas brasileiras — a do saci-pererê, da mãe d'água, do boto, da mandioca... Os alunos, por sua vez, poderão narrar a seus colegas lendas de seus países.

A critério do professor, de acordo com o interesse da classe, poderá ser dada uma pequena explicação das lendas amazônicas.

Lendas amazônicas

As lendas amazônicas pertencem ao gênero literário da literatura de ficção com tendência regionalista. As lendas são formas típicas do ciclo nortista (amazônico) da literatura brasileira.

Na literatura amazônica encontram-se muitas lendas porque os habitantes das florestas, com grandes rios, feras etc. têm vocação lírica, com tendência mística. Os temas que se destacam na literatura regional da Amazônia são: a paisagem, a flor, as estrelas, os índios, personagens em luta contra a natureza violenta, as tradições da vida social e humana na floresta e nas pequenas cidades.

Consultar: Afrânio Coutinho/ Eduardo de Faria Coutinho:

A literatura no Brasil. Rio de Janeiro/Niterói, 1986 Vol. 1-6.

Explicação e prática dos itens gramaticais

Exercício A

Mesmo + gerúndio.

O professor explicará a estrutura através do modelo à p. 112 do livro do aluno. Depois, o exercício será feito por escrito.

Exercício B

A todo custo.

O professor dará alguns exemplos: Eu quero que vocês aprendam português a todo custo.

Alcançado o significado da expressão, os alunos farão o exercício.

Para encerrar a Unidade, os alunos farão um ditado (p. 262).

3.10. Unidade 10

3.10.1. Conteúdo da Unidade

Textos
Diálogo 1: D. Pedro II dormiu aqui
Diálogo 2: Era um carro novinho em folha
Texto narrativo: Um pouco de história
Canções folclóricas e populares
Itens gramaticais
— Futuro do Indicativo
— Futuro do Indicativo — formas irregulares: **fazer, dizer** e **trazer**

— Presente, Pretérito Perfeito e Imperfeito dos verbos que mudam a vogal temática **o** em **u** na 1ª pessoa do Presente do Indicativo: **dormir, cobrir** — Presente do Indicativo dos verbos que mudam o **u** da penúltima sílaba em **o** nas 3as. pessoas do singular e do plural do Presente do Indicativo: **subir** — Pronomes indefinidos: **algum, nenhum, alguém, ninguém, nada, algo** — diminutivos: **– inho, – zinho** — numerais ordinais
Caderno de Testes: Teste 5

3.10.2. Sugestões práticas para o ensino

3.10.2.1. D. Pedro II dormiu aqui

Gramática
— Futuro do Indicativo — Futuro do Indicativo — formas irregulares: **fazer, dizer, trazer** — Presente, Pretérito Perfeito, Imperfeito e Futuro do Indicativo dos verbos que mudam a vogal temática **o** em **u** na 1a. pessoa do Presente do Indicativo: **dormir** e **cobrir** — Presente do Indicativo dos verbos que mudam o **u** da penúltima sílaba em **o** nas 3as. pessoas do singular e do plural do Presente do Indicativo: **subir** — Pronomes indefinidos: **algum, nenhum, alguém, ninguém, nada** e **algo**
Expressões
— ir de mal a pior — cair aos pedaços — de jeito nenhum

Preparação e apresentação do texto

Antes de ler o texto de abertura da Unidade, o professor falará um pouco sobre D. Pedro II, seu governo progressista, sua personalidade, o respeito e o carinho que os brasileiros em geral dispensam à sua figura. Em seguida, lerá o texto ou apresentará em fita, seguindo as etapas costumeiras.

Assimilado o texto, os alunos poderão, a partir dele, criar outros diálogos em que expressem insatisfação (num restaurante recusando o prato servido, por exemplo).

Ainda, o professor poderá distribuir prospectos em português de hotéis diversos. Depois ele perguntará aos alunos quais as condições dos hotéis, qual a sua localização e quais são os preços.

Com a finalidade de praticar o vocabulário, os alunos farão diálogos semelhantes através dos prospectos.

O **diálogo pequeno** que se segue será lido uma vez pelo professor. Depois,
os alunos o lerão. Agora o professor dará explicações necessárias à compreensão. Trata-se de um texto importante por apresentar dupla negativa,
um ponto difícil para muitos alunos.

Com exercício comunicativo adicional os alunos podem, agora, fazer um
diálogo na portaria de um hotel. Um ou dois turistas chegam no hotel e
perguntam por quartos, preços etc. O recepcionista do hotel responderá às
suas perguntas sempre que possível negativamente para que sejam usadas
a dupla negativa e expressões do diálogo de abertura.

Explicação e prática dos itens gramaticais.

Exercício A

Os pontos gramaticais desenvolvidos nos exercícios A e B são os pronomes
indefinidos **algum, nenhum, alguém, ninguém e nada.**

Com a finalidade de introduzir as formas, o professor escreverá os quatro
pronomes indefinidos na lousa. Agora os alunos deverão extrair dos diálogos outras formas. Feito isto, o professor completa a lista e explica outra
vez a formação e o uso dos pronomes. Os alunos farão, então, os exercícios A e B.

Terminados os exercícios, um exercício adicional comunicativo será feito.

Os alunos farão diálogos empregando esses pronomes. Os diálogos podem
ser:

— numa portaria de hotel. Um aluno fará o papel de freguês perguntando
  por quartos, telefonemas, recados, informações etc. e outro aluno será
  o porteiro. Suas respostas serão sempre negativas.

— num restaurante onde não há mais comida.

— numa loja de roupas que já vendeu todo o estoque.

— numa agência de viagens que não tem viagens programadas.

— no jornaleiro que ainda não recebeu os jornais.

— numa empresa que não dispões de vagas para novos funcionários.

Exercícios C, D, E, F

O ponto gramatical a ser introduzido é o Futuro do Indicativo (formas regulares e irregulares).

Antes de fazer os exercícios, o professor introduzirá este tempo verbal
através de um exercício comunicativo.

P: Amanhã eu trabalharei. E você? Você trabalhará amanhã?

A: Trabalharei, sim.   *ou:* Não, não trabalharei.

   (*Agora o aluno deverá perguntar a um terceiro:*) E você? Você trabalhará amanhã?

Depois de alguns exemplos, o professor escreverá na lousa as duas frases: "Eu trabalharei amanhã" e "Você trabalhará amanhã?".

Então, sem explicar nada, perguntará:

P: Amanhã eu comerei carne e beberei coca-cola. E você? O que você comerá e beberá amanhã / no domingo / na semana que vem?

A: Eu comerei... e beberei... amanhã.

Agora o aluno perguntará a outro aluno. Feitas algumas vezes o exercício, o professor escreverá as duas frases: "Eu comerei carne e beberei coca-cola amanhã" e "O que você comerá e beberá amanhã?". Então falará:

P: No domingo eu irei à praia. E você? Aonde você irá?

A: Eu irei a São Paulo no domingo.

O aluno pergunta ao terceiro a mesma coisa. O professor escreverá outra vez as duas frases: "No domingo, irei à praia" e "Aonde você irá?" na lousa.

Agora, o professor escreverá os verbos **morar, vender** e **abrir** no Infinitivo na lousa e os alunos deverão conjugar os três verbos na 1a. e 3a. pessoa do singular, deduzindo a formação dos verbos trabalhar, comer, beber e ir. Feito isto o professor completará toda a conjugação.

O professor mostrará a regularidade da formação do Futuro Simples do Indicativo, patente mesmo no caso de verbos muito irregulares (porei, serei, terei, virei...). Em seguida, chamará a atenção para as três únicas formas irregulares (trarei, direi, farei). Os alunos conjugarão os verbos em todas as pessoas, pronunciando a 3a. pessoa do plural com redobrado cuidado para que não haja confusão com a mesma forma do Pretérito Perfeito.

Os alunos poderão, agora, fazer os exercícios C, D, E, F.

Como exercícios adicionais podem ser feitos vários exercícios:

— dois alunos podem falar sobre as férias do próximo ano.

— um aluno pode contar o que fará no fim de semana.

— os alunos podem discutir o desenvolvimento dos preços daqui em diante.

— os alunos podem falar o que o professor fará na próxima aula de português.

Exercício G

Os itens gramaticais a serem introduzidos são o Presente, Pretérito Perfeito e Imperfeito do Indicativo dos verbos que:

— mudam a vogal temática o em u na 1a. pessoa do Presente do Indicativo: **dormir, cobrir.**

— mudam o u da penúltima sílaba em o nas 3as. pessoas do singular e do plural do Presente do Indicativo: **subir.**

O professor introduzirá brevemente a conjugação do verbo **dormir.**

P: Eu durmo 7 horas por dia. E você? Quantas horas você dorme?

A: Eu durmo... E você? Quantas horas dorme?

Terminado o exercício, o professor escreverá toda a conjugação na lousa.

Em seguida os alunos deverão conjugar o verbo cobrir.

Para terminar o assunto, o professor explicará ainda a conjugação do verbo subir e o exercício G será feito por escrito.

3.10.2.2. Era um carro novinho em folha!

Gramática
— Diminutivos: – inho; – zinho
— Numerais ordinais
Estruturas
— ele deve estar cansado
— haver: há 10 anos
— fazer: faz... que
Expressões
— droga!
— novinho em folha
— agorinha mesmo
— calma!
— vamos ver este negócio
— (não) há remédio
— a gente
— mas que coisa!

Preparação e apresentação do texto

O diálogo será apresentado imediatamente: livros fechados, os alunos ouvirão o diálogo duas vezes; livros abertos o texto será ouvido pela terceira vez. Depois das explicações necessárias à compreensão os alunos lerão o texto em grupos. Lido o texto o professor perguntará pelo conteúdo. Respondidas todas as perguntas do professor todos os alunos devem imaginar o fim da história ao posto de policia. As formas do futuro devem ser usadas!

Ainda para estender o vocabulário os alunos poderiam inventar uma história de roubo de seu televisor, seu bolso, sua mala etc.

Explicação e prática dos itens gramaticais

Exercícios A, B, C

O diminutivo em – **inho** e – **zinho** é introduzido aqui.

Os alunos procuram os diminutivos do diálogo e o professor os escreve na lousa. Em seguida explica a formação e o emprego do diminutivo através do quadro à p. 120 do livro do aluno. Então os exercícios serão feitos. O exercício A será feito por escrito.

O professor mostrará aos alunos que o uso do diminutivo é muito largo em Português (certinho, pertinho, tudinho, finzinho, agorinha, tchauzinho etc.).

Exercício D

As estruturas **há dez anos** e **faz dez anos** são praticadas aqui.

O professor as explicará através do modelo à p. 121. Em seguida, os alunos farão o exercício. Depois, o professor perguntará aos alunos:

P: Você, o que fez há meia hora?
A: ...

O exercício será feito em corrente com diversas indicações de tempo.

Exercício E

As estruturas a serem desenvolvidas neste exercício são **deve ser** e **deve estar**.

O professor explicará o assunto através do quadro à p. 122. Repetirá também o emprego de **ser** e **estar** por ser essa uma das dificuldades maiores para quem aprende o Português como língua estrangeira. Dada a explicação, o exercício será feito por escrito.

Canção popular

A canção popular serve para introduzir os numerais ordinais.

Primeiramente, a canção será cantada. Em seguida o professor extrairá os numerais do texto para chamar a atenção dos alunos para os numerais ordinais.

Exercícios F, G

Os numerais ordinais são introduzidos nesses exercícios. Antes de fazer os exercícios o professor os introduzirá. Ele descreverá todos os alunos na aula, empregando numerais ordinais.

Modelo: O primeiro aluno tem uma camisa branca. O segundo...

Enquanto o professor estiver falando, um aluno escreverá os numerais na lousa. Feito o exercício, a lista na lousa será completada pelo professor. Agora os exercícios F e G serão feitos por escrito.

A introdução dos meses verificou-se através do exercício G. Mas, para garantir a aprendizagem, o professor os repetirá e fará um exercício comunicativo adicional. Ele perguntará pelo aniversário dos alunos.

Antes de fazer o exercício, escreverá a pergunta correspondente e a resposta na lousa. O exercício será feito em corrente para que todos falem. Outras perguntas envolvendo os meses poderão ser feitas:

Em que mês é melhor viajar para o Brasil? Quando é o inverno no Brasil? Quando é o Natal?

Exercício H

As expressões do diálogo são praticadas no exercício H.

O exercício será feito oralmente. Professor e alunos poderão trocar idéias a respeito do assunto porque são várias as possibilidades de resposta.

3.10.2.3. Texto Narrativo — Um pouco de nossa história

Preparação e apresentação do texto

Para a apresentação do texto, o professor deverá tirar quatro cópias dele, dividindo cada cópia em 6 partes. Ao invés de ler o texto como habitualmente faz, o professor dividirá a classe em quatro grupos e dará a cada um deles as 6 partes desordenadas do texto. Os grupos tentarão reconstruir o texto. Será vencedor o grupo que o conseguir mais depressa.

Terminada essa etapa da atividade, os alunos abrirão o livro e lerão o texto, esclarecendo todas as dúvidas com o professor, ou com o auxílio de um dicionário ou do glossário.

As perguntas da p. 126 não deverão apresentar dificuldades. O professor poderá prolongar o tema do texto, pedindo aos alunos que falem sobre a história de seus países.

Uma outra possibilidade, para grupos mais avançados, consistirá em pedir, por escrito, uma reportagem pequena da história de seus países.

O aluno fará o trabalho em grupo ou sozinho.

Agora os alunos farão o Teste 5 do Caderno de Testes.

Canções populares e folclóricas

O texto das quatro canções que se seguem é um marco divisório no curso. Encerrando a Unidade 10, o aluno termina a primeira parte de seu curso, estando apto agora a prossegui-lo em nível intermediário.

Mulher rendeira. Canção folclórica do Nordeste, revive as figuras da rendeira e do cangaceiro, já tratados na Unidade 8 (p. 95). Muito se poderá falar sobre o artesanato tradicional do Nordeste. Por outro lado, o tema de

Lampião dará, com certeza, ensejo à narração de episódios heróicos ou escabrosos, que haverão de interessar os alunos, assim como à discussão de vários aspectos sociais na área mais problemática do Brasil.

Os alunos ouvirão a música e a cantarão.

O Mar. Canção popular do compositor baiano Dorival Caymmi — uma das figuras mais tradicionais e respeitadas da música brasileira. As canções compostas por Caymmi geralmente têm o mar como tema. Os alunos ouvirão a música e contarão a história nela contida. Depois ouvirão a música enquanto lêem o texto. Se quiserem, cantarão junto.

Este texto, porque tem muitas expressões da língua falada, permite um outro tipo de exercício. O professor tira cópias do texto sem essas expressões. Os alunos ouviriam a canção duas vezes e completariam o texto com diminutivos, por exemplo.

Minha jangada. O jangadeiro também foi tratado no texto da p. 95. A letra desta canção é simples e os alunos ficarão satisfeitos em poder entendê-la toda, sem a ajuda do professor. Este deve estimulá-los a cantá-la.

Cidade maravilhosa. A canção "oficial" do Rio de Janeiro. Este é um bom momento para retomar "São Paulo da Garoa" (p. 81), a canção "oficial" de São Paulo.

O ritmo da música popular brasileira

A música popular brasileira é do tipo afro-brasileiro. A influência africana manifesta-se também nas letras das músicas, de linguagem popular. Entre os diversos ritmos destacam-se o samba e a bossa nova.

O samba. Até o ano 59, o samba era o ritmo brasileiro mais famoso. O samba tem suas origens ligadas ao fado português e à música africana.

A bossa nova. Bossa nova é a música **new wave** do Brasil. Ficou conhecida no festival do Rio de Janeiro, em 1959. Nos primeiros anos, era música para uma minoria de intelectuais. Sua batida característica é influenciada pela música popular tradicional brasileira e o jazz dos Estados Unidos. Os mais famosos representantes da bossa nova são: João Gilberto, Tom Jobim, Vinícius de Morais, Baden Powell, Milton Nascimento, Caetano Veloso, Edu Lobo, Chico Buarque de Holanda.

3.11. Unidade 11

A partir da Unidade 11, muda a estrutura das lições. Além do diálogo criado para objetivar os pontos gramaticais e as novas estruturas, haverá sempre um texto extraído de jornais e revistas, de autores contemporâneos, visando colocar o aluno diante da chamada linguagem autêntica, isto é, a linguagem não fabricada especificamente para o estudo de determinados casos gramaticais. É o que no livro chamamos **Contexto**.

As estruturas sintáticas e o vocabulário são mais abertos, porém controlados pelo professor, pois o texto foi selecionado a fim de introduzir novos tempos verbais e novos itens gramaticais sem que se perdesse de vista um determinado vocabulário fundamental.

Justamente para controlar a aprendizagem, todo Contexto é seguido, sistematicamente, de exercícios de compreensão e de vocabulário, antes de se passar aos exercícios gramaticais.

Após o Contexto, segue-se o **intervalo** constituído de poesias, música expressões idiomáticas que devem servir ao professor como elementos de estudo ou de "pausa" no ritmo dos trabalhos.

Assim, as unidades de 11 a 18 constituem-se de:
— Diálogo
— Contexto (= texto autêntico)
— Intervalo (poesias, músicas, expressões idiomáticas)
— Texto Narrativo

3.11.1. Conteúdo da unidade

Textos

    ● ● Diálogo: Progresso é progresso
    ● ● Contexto: Doce lar eletrônico
    Intervalo: Irene no céu
    Texto Narrativo: Pedras preciosas brasileiras (1)
    ● ● Ditado

Itens gramaticais

    — Presente, Pretérito Perfeito, Imperfeito e Futuro do Indicativo dos verbos terminando em — **air**
    — Mais-que-Perfeito Composto do Indicativo
    — Particípios regulares e irregulares
    — Pronomes indefinidos: **cada, vários, outro, qualquer**
    — Cognatos (verbos e substantivos)

3.11.2. Sugestões práticas para o ensino

3.11.2.1. Progresso é progresso

Gramática

    — Presente, Pretérito Perfeito, Imperfeito e Futuro dos verbos terminando em – **air**: sair
    — Pronomes indefinidos: **cada, vários, outro, qualquer**

Estrutura

    — é caro demais

— vamos ver se
— que pena demoli-la

Expressões
- — ora essa!
- — fechar o negócio
- — tomara!
- — que pena!
- — deixar herdeiros
- — perder a oportunidade
- — para falar a verdade
- — mesmo assim

Preparação e apresentação do texto

Antes de ler o diálogo ou tocar sua gravação, o professor introduzirá palavras e estruturas novas do texto.

Com a finalidade de introduzir os pronomes indefinidos a serem tratados na Unidade, o professor falará:

Cada aluno tem um livro de Português.

Há um livro para **cada** aluno.

Cada um tem um livro.

Vários alunos (mostrando vários alunos) têm também **outros** livros.

Têm dicionários. Têm **vários** dicionários.

Qualquer dicionário serve para o trabalho com textos.

Ao falar, o professor mostra os objetos e explica o sentido das frases através de gestos.

Introduzidos alguns pronomes indefinidos, o professor lerá o texto para os alunos, que o ouvirão com os livros fechados. Depois, o professor avaliará a compreensão dos alunos através de perguntas tais como: Quantas pessoas participam do diálogo? Qual a profissão delas? Elas querem comprar uma casa na avenida Paulista para morar?

O texto será lido novamente e as dúvidas esclarecidas. Em Seguida, o professor aproveitará o tema do diálogo para uma conversa com os alunos (O que fazer para preservar os edifícios antigos em áreas muito valorizadas? É válido exigir dos proprietários que conservem grandes propriedades antigas e dispendiosas, ao invés de vendê-las por bom preço?...). O professor poderá também discorrer ligeiramente sobre a avenida Paulista, assunto que voltará a ser tratado no final da Unidade 17, à p. 238.

Para introduzir o Mais-que-Perfeito Composto o professor fará um exercício do tipo comunicativo.

P: Ontem às dez horas vi televisão. Antes tinha preparado o jantar.
E você? O que você fez ontem às dez horas?
A: Conversei com uma amiga.
P: E o que você tinha feito antes?
A: Tinha jantado.

Antes de perguntar aos alunos, o professor escreverá suas primeiras frases na lousa, sublinhando os verbos no Pretérito Perfeito e no Mais-que-Perfeito. Para que os alunos possam empregar o Mais-que-Perfeito o professor explicará brevemente sua formação:

ter no Imperfeito + Particípio.

Explicará também a formação dos particípios necessários:

– ar   – ado (preparado)
– er   – ido (comido)
– ir   – ido (dormido)

Escrito tudo na lousa, fará mais perguntas. Todos os alunos deverão responder, um por vez.

Essas estruturas serão introduzidas passivamente. Serão retomadas no texto "Doce Lar Eletrônico".

Exercícios A e B

Em seguida, o professor passará a fazer os exercícios A e B, dando antes uma explicação particularizada dos pronomes indefinidos.

De acordo com o nível da classe, o professor controlará as informações contidas na gramática, dando apenas as estritamente necessárias.

Explicado o assunto, os alunos farão o exercício A por escrito.

Fazendo o exercício B, o professor divide os alunos em dois ou três grupos. Agora todos os grupos devem fazer frases com os pronomes indefinidos em dez minutos. O grupo que fizer mais frases corretas, ganha.

Exercício A

O item gramatical a ser desenvolvido é a conjugação dos verbos terminando em – **air** no Presente, Pretérito Perfeito, Imperfeito e Futuro do Presente do Indicativo.

O professor escreverá toda a conjugação do Presente do Indicativo na lousa e os alunos deverão descobrir a particularidade da conjugação. Em seguida o professor explicará que as formas do Pretérito Perfeito, Imperfeito e Futuro do presente são regulares.

Agora os alunos deverão conjugar o verbo **sair** nos outros tempos. O exercício A será feito por escrito.

3.11.2.2. Doce lar eletrônico

Gramática
— Mais-que-Perfeito composto do Indicativo
— Particípios regulares e irregulares
— Cognatos (verbos e substantivos)
Estruturas
— desde lavar... até servir...
— antes de instalar
Expressões
— pelo menos
— fazer de tudo
— servir um jantar
— viver às voltas com
— até já tinha
— ouvir falar de

Preparação e apresentação do texto

O professor tem várias possibilidades para a apresentação do texto:

— Com a finalidade de repetir os tempos dos verbos e de introduzir as expressões novas do texto, o professor distribuirá o texto sem os verbos e sem as expressões novas. Ouvindo a fita, os alunos deverão completar o texto. A correção será feita com o texto do livro.

— Com a finalidade de compreensão global os alunos deverão fazer o exercício certo / errado do livro, ouvindo o texto.

— com a mesma finalidade podem ser feitas várias perguntas globais a respeito do texto: Do que trata o texto? O que pode fazer um computador doméstico? Qual a grande vantagem dele?

As dificuldades de compreensão poderão ser resolvidas pelo professor ou com a ajuda do glossário.

Compreensão e vocabulário

Agora os alunos farão todos os exercícios. Antes de fazer o exercício D, o professor explicará outra vez o significado de *até*.

Feitos os exercícios, sugere-se um exercício adicional para a fixação do vocabulário:

1. Os alunos devem descrever sua vida diária com um computador doméstico, apontando vantagens e desvantagens.

2. Os alunos poderão organizar discussão sobre a necessidade de computadores na vida moderna, ou sobre a necessidade de computadores em países subdesenvolvidos.

Explicação e prática dos itens gramaticais

Exercícios A, B, C, D

O ponto gramatical desenvolvido nesses exercícios é o Mais-que-Perfeito Composto do Indicativo. Para introduzi-lo, o professor retomará o diálogo de abertura, indicando as passagens em que aparece o tempo:

Eles tinham resolvido alugar a casa, mas depois...

Eu já tinha pensado nisso...

Explicando o uso do tempo (um fato passado antes de outro fato também passado), o professor se concentrará na formação do tempo: tinha + Particípio. Explicando os Particípios regulares (–ado, –ido) o professor dará vários exemplos. Os alunos deverão, então, fazer o exercício A.

Os exercícios B, C e D serão feitos depois de apresentados os Particípios irregulares e dados vários exemplos.

O professor deverá retomar o assunto em aulas posteriores para assegurar a fixação do ponto. Os alunos poderão, por exemplo, responder a perguntas tais como:

P: Por que você estava contente ontem?
A: Porque eu tinha ganhado um presente.

Exercício E

O exercício será feito oralmente pelos alunos, com ajuda do professor. As palavras novas deverão ser aplicadas em sentenças.

Intervalo: Irene no céu

Preparação e apresentação do texto

A poesia, muito simples, será lida duas ou três vezes pelo professor. Os alunos ouvirão e reproduzirão seu conteúdo com suas próprias palavras. Em seguida, responderão às perguntas do Exercício A, esforçando-se por estender suas explicações.

O professor poderá dar aos alunos algumas noções sobre o poeta Manuel Bandeira, um poeta brasileiro por excelência, e sua poesia. Se houver clima favorável na classe, poderá até mesmo apresentar outras poesias do autor.

Manuel Bandeira

Manuel Carneiro de Sousa Bandeira Filho nasceu no Recife, em 1886. Iniciou seus estudos na cidade natal, e formou-se em Humanidades no Colégio D. Pedro II (Rio de Janeiro). Ingressou no curso de Engenharia, na Escola Politécnica de São Paulo, mas teve que interromper os estudos em virtude de uma moléstia pulmonar.

Em 1913, partiu para a Europa em busca da cura e, nessa época publicou os primeiros versos e crônicas. Recuperada a saúde, principiou a carreira literária, participando do Movimento

Modernista de 22. Mário de Andrade denominou-o "o São Batista do Modernismo", em virtude dos aspectos renovadores por ele lançados.

Em 1935, tornou-se inspetor federal do ensino, em 38, professor de Literatura Hispano-Americana na Faculdade Nacional de Filosofia. Em 40, entra para a Academia Brasileira de Letras. Morreu no Rio, em 1968.

Apesar da intensa atividade literária como historiador, crítico antologista e cronista, Manuel Bandeira revela-se no Modernismo como poeta. Com o livro de estréia *Cinzas das Horas* (1917) e, logo depois, com *Carnaval* (1919), seus poemas prenunciam os valores de uma nova tendência estética. Em "Os Sapos", satiriza os princípios dos parnasianos, mediante o deboche agressivo dirigido à métrica e à rima desses poetas.

Quando publica *Libertinagem* (1930) e *Ritmo Dissoluto* (1924), o poeta já mostra total adesão ao Modernismo, sendo a primeira, como ele próprio revela, a obra mais representativa da escola. Nela a técnica revolucionária da linguagem mescla-se à sinceridade e à naturalidade de expressão de tal modo, que da estrutura do verso brota "a mais preciosa arte popular".

Desse livro, "Vou-me embora prá Pasárgada" é o mais conhecido dos poemas. Nascido dos momentos angustiantes da vida, talvez do período em que esteve doente, a poesia espelha frustração, decepção e um desejo de fugir à realidade em busca de soluções mais tranqüilizantes.

Completam a obra poética de Manuel Bandeira os seguintes livros: *Estrela da manhã* (1936), onde explora as tradições do folclore negro, *Mafuá do Malungo* (1948), *Opus 10* (1952), *Estrela da Tarde* (1958) e *Estrela da Vida Inteira* (1966).

Manuel Bandeira é mestre dos mais diversos estilos e, além da volumosa produção poética, escreve também obras em prosa: *Crônicas da Província do Brasil* (1936), *Noções de História das Literaturas* (1940), *Literatura Hispano-Americana* (1949), *Itinerário de Pasárgada* (1954), *De Poeta e de Poesia* (1954), *Frauta de Papel* (crônicas — 1945).

O valor da poesia de Manuel Bandeira reside na fusão de aspectos pessoais e universais. Embora calcados em fatos comuns e prosaicos da vida, seus versos não perdem a forma eloqüente de expressão. É o verdadeiro artesão da poesia, nela reunindo melancolia, angústia, humor, ironia, primitivismo e sugestões folclóricas. O estilo é descritivo, mas sem clichês ou formas estereotipadas. Não há musicalidade, e muitos versos soam rispidamente, sem perder, porém, o vigor da escrita.

Na opinião dos críticos, Manuel Bandeira é o príncipe de nossos poetas modernos.

3.11.2.3. Texto Narrativo — Pedras Preciosas brasileiras (1)

Preparação e apresentação do texto

Os alunos deverão testar sua compreensão global, lendo o texto com o dicionário e respondendo às perguntas do exercício A. O trabalho poderá ser feito em grupos.

Dadas as respostas, o texto será lido em voz alta na aula e as respostas corrigidas. Agora o professor fará outra vez algumas perguntas referentes ao texto para que os alunos usem outra vez o vocabulário.

Os alunos farão o exercício B em casa e o professor o corrigirá posteriormente.

3.12. Unidade 12

3.12.1. Conteúdo da unidade

Textos
•• Diálogo 1: Num sábado •• Diálogo 2: No sábado seguinte •• Diálogo 3: Quinze dias depois •• Cartas •• Contexto: A sogra 　Intervalo: Crie duas estórias 　Texto narrativo: Pedras brasileiras (2)
Itens gramaticais 　— Presente do Subjuntivo dos verbos regulares e irregulares e as mudanças ortográficas 　— Emprego do Subjuntivo nas subordinadas a verbos que indicam desejo, ordem, dúvida e sentimento 　— Mais-que-Perfeito simples dos verbos regulares e irregulares 　— Pronomes relativos invariáveis: **que, quem, onde** 　— Pronomes relativos variáveis: **o qual, cujo**
Caderno de Testes 　Teste 6

3.12.2. Sugestões práticas para o ensino

3.12.2.1. Num sábado – No sábado seguinte – Quinze dias depois – Cartas

Gramática
— Presente do Subjuntivo dos verbos regulares e irregulares (mudanças ortográficas) 　— Emprego do Subjuntivo nas subordinadas a verbos que indicam: **desejo, ordem, dúvida** e **sentimento**
Estruturas 　— quero que você faça 　— tomara que eu chegue 　— duvido que chova 　— é pena que o senhor não vá 　— estar apaixonado por 　— estar certo de que 　— sonhar com 　— talvez faça um pouco frio 　— é possível que faça frio

Preparação e apresentação do texto

Os textos de abertura contêm o subjuntivo como nova estrutura gramatical. Essa é uma estrutura gramatical muito difícil para quem aprende o Português como primeira língua latina.

O subjuntivo poderá ser introduzido antes ou depois da apresentação do texto.

1. Antes

O professor colocará na lousa o vocabulário ligado às atividades de um posto de gasolina: fazer revisão, ver os pneus, examinar a bateria etc.

Em seguida, escreverá sentenças completas na lousa, sempre iniciadas com o verbo **querer:**

Eu quero que   você faça uma revisão no meu carro.
                   veja os pneus.

Ficará fácil, agora, introduzir a estrutura e explicar as formas do Presente do Subjuntivo. Os alunos deverão, então, conjugar vários verbos, regulares ou não, para familiarizarem-se com a nova forma. O professor, em seguida, apresentará o texto como habitualmente.

2. Depois

O professor lerá o primeiro texto "Num sábado" uma ou duas vezes — os alunos com seus livros fechados. Depois fará algumas perguntas para avaliar a compreensão da classe. Em seguida, o próprio professor, livros abertos, lerá o texto novamente e pedirá aos alunos que indiquem todos os casos de Subjuntivo que ocorrem no texto. Retomando a frase completa (**faça** Quero que você **faça**), o professor explicará o emprego e fixará a conjugação.

O mesmo será feito com os outros dois textos.

O primeiro texto introduz o Subjuntivo com verbos de desejo ou ordem. O segundo, com verbos de dúvida + talvez. O terceiro, com verbos de sentimento + tomara que.

O professor dará suas explicações baseado no material das ps. 143-144. Em seguida, os alunos farão os exercícios A, B, C, e D.

Os alunos poderão, então, criar diálogos semelhantes ao da Unidade: Num restaurante — o cozinheiro dando ordens ao ajudante:

— Quero que você lave a verdura. Quero que você corte a carne...

— Duvido que eu tenha tempo para fazer tudo isto...

Num escritório — o chefe falando com a secretária:

— Proíbo que você fale ao telefone com suas amigas...

— Espero que o senhor compreenda a minha situação...

Depois, a mesma secretária conversando com uma colega:

— Tomara que meu chefe tire férias. Ele anda muito nervoso.

— Talvez ele tenha problemas em casa. Ou com o chefe dele...

Na aula seguinte, o professor lerá a primeira carta (p. 140) aos alunos. Estes a ouvirão, reproduzirão seu conteúdo, depois a lerão e extrairão dela as formas de Subjuntivo. O mesmo será feito com a segunda e, depois, com a terceira. A primeira apresenta Subjuntivo essencialmente com verbos de desejo, a segunda com verbos de dúvida + talvez e a terceira, com verbos de sentimento.

Para aumentar o interesse dos alunos, antes de proceder à leitura da terceira carta, o professor poderá pedir à classe que responda às cartas de Desesperada da Capital: O que vocês recomendariam à moça?

Exercícios adicionais para fixação do Subjuntivo

1. Redija um anúncio à procura de uma esposa:
   Quero que ela tenha olhos azuis, que fale sete línguas...

2. Depois de longos anos de ausência, você se prepara para voltar para casa. Escreve uma carta a sua família, dizendo o que deseja encontrar à sua chegada:

   Espero que vocês preparem aquela comidinha...

3. Escreva uma carta a um hotel reservando um apartamento:
   Prefiro que o quarto tenha um terraço...

4. Responda à carta anterior, na qualidade de gerente do hotel:
   Lamento que não possamos...

Embora as formas irregulares **seja, esteja**... só sejam introduzidas na Unidade 13, elas podem ser antecipadas se forem necessárias à expressão das idéias dos alunos.

Exercício E

O professor apresentará o quadro à p. 145. Por serem as formas do Presente do Subjuntivo sempre derivadas da primeira pessoa do singular do Presente do Indicativo, tornam-se necessárias mudanças ortográficas...

O exercício será feito por escrito.

Exercício F

Nele, emprega-se o Subjuntivo com as expressões **talvez, tomara que, pena que e é pena que.**

O exercício pode ser feito oralmente.

Com a finalidade de fixar o emprego do Subjuntivo, o professor fará um exercício adicional simples. Escreverá todos os verbos desta Unidade que pedem o Subjuntivo na subordinada em diversos papéis, cada papel contendo um verbo. Agora, mostrará um papel a cada aluno. O aluno deverá fazer uma frase com o verbo indicado no papel empregando o Subjuntivo.

Para tornar o exercício mais difícil, o professor poderá preparar também alguns papéis com verbos que não peçam o Subjuntivo.

3.12.2.2. A sogra

Gramática
— Mais-que-Perfeito simples do Indicativo dos verbos regulares e irregulares
— Pronomes relativos invariáveis: **que, quem, onde**
— Pronomes relativos variáveis: **o qual, cujo**

Expressões
— levava uma vidinha...
— teve um síncope
— levaram-na correndo
— o jeito era voltar
— fazer o enterro
— comendo asfalto
— a fome apertou
— ir ao banheiro

Preparação e apresentação do texto

O texto será apresentado através da gravação ou de leitura feita pelo professor. Os alunos ouvirão três vezes o texto para poderem fazer o exercício A. O exercício deverá ser feito sem leitura do texto. Feito e controlado o exercício A, o texto será ouvido outra vez, com os livros abertos. Depois das explicações necessárias à compreensão, o texto será lido pelos alunos.

Agora o professor fará várias perguntas a respeito do texto para que o vocabulário seja praticado.

Compreensão e vocabulário

Exercício A

O exercício A já foi feito.

Exercício B

O exercício B será feito em grupos pequenos. O controle será feito oralmente.

Como exercício adicional, com a finalidade de ampliar e fixar o vocabulário, os alunos podem escrever um resumo do texto.

Eles podem, também, imaginar uma continuação para a história: o que aconteceu com o carro? E com a sogra?

Explicação e prática dos itens gramaticais

Exercícios A, B

O Mais-que-Perfeito Simples do Indicativo será desenvolvido nestes exercícios.

Como a forma composta do Mais-que-Perfeito já foi introduzida, os alunos já conhecem o emprego do tempo verbal. O professor, então, deverá explicar como é formado o Mais-que-Perfeito simples.

O quadro à p. 148 do livro do aluno servirá como modelo. Basta que os alunos aprendam as formas do Mais-que-Perfeito Simples passivamente dado que este tempo só é usado na línguagem escrita.

Por isto, exercícios comunicativos adicionais não serão necessários.

Explicado o assunto, os exercícios A e B serão feitos por escrito.

O professor poderá, então, extrair do texto "A Sogra" os verbos no Mais-que-Perfeito Composto e pedir aos alunos que os substituam pela forma simples.

Talvez seja recomendável fazer um exercício comunicativo adicional para a prática do Mais-que-Perfeito Composto do Indicativo.

A situação do exercício: alguns amigos se encontram e um deles quer saber o que outro tinha feito antes de sair para as férias no ano passado.

Ou um amigo quer saber o que outro tinha feito antes do curso de Português.

Exercícios A, B

A noção gramatical desenvolvida nos exercícios A e B às ps. 149/150 do livro do aluno é o pronome relativo invariável **que**.

Este pronome tem como função representar/substituir o substantivo antecedente. O pronome relativo **que** sempre abre uma oração e funciona ou como sujeito ou como complemento do verbo dessa oração:

O homem **que** eu vi morreu.

A carta de **que** depende meu destino chegou.

Para introduzir o pronome relativo **que**, os alunos deverão procurar no texto a frase com esse pronome. O professor a escreverá na lousa.

Sua sogra precisava ir a Minas ver uma fazendinha **que** o marido tinha deixado.

Agora o professor explicará o emprego do pronome relativo *que* dando vários exemplos. Dada a explicação, os exercícios A e B serão feitos pelos alunos.

Exercícios C, D

O item gramatical a ser introduzido é o pronome relativo **quem**.

Quem refere-se a pessoa e vem sempre precedido de preposição.

O professor introduzirá o assunto através da frase-modelo:

A moça com quem falei estava nervosa.

Depois dará vários exemplos, variando a preposição. Em seguida, os alunos deverão também criar frases empregando o pronome **quem**, antes de fazerem os exercícios.

Exercícios E, F

O assunto a ser tratado é **onde** como pronome relativo.

Para a introdução do ponto, os alunos localizarão a frase com **onde** como relativo (advérbio ou pronome). Exemplo:

O carro não estava **onde** ele o tinha deixado. (Advérbio de lugar)

O professor dará outro exemplo:

O restaurante **onde** almocei não é caro. (Pronome relativo)

O professor escreverá as frases na lousa e explicará o emprego de **onde** com muitos exemplos. Dado que o assunto não é difícil, os alunos farão em seguida os exercícios.

A distinção entre **onde** advérbio ou pronome relativo não é imprescindível.

Exercícios G, H

O item gramatical a ser introduzido são os pronomes relativos **o qual, a qual, os quais, as quais**.

O **qual** substitui os pronomes relativos invariáveis (quem, que, onde) quando precedidos de preposição.

O professor dará vários exemplos. Em seguida, serão feitos os exercícios. O emprego desse pronome relativo é difícil e por isso os alunos deverão dar vários exemplos, eles mesmos, depois de terem feito os exercícios.

Exercícios I, J

O pronome relativo **cujo** é desenvolvido neste exercício.

Cujo sempre indica posse e pode ser desdobrado em um complemento que também indique posse. Exemplo: "Devemos socorrer João **cuja** casa se incendiou." (a casa do qual)

Vê-se claramente que o termo antecedente, isto é, o termo que vem antes de **cujo**, é sempre o possuidor e o termo consequente, ou seja, o que vem depois de **cujo**, a coisa possuída.

Este pronome relativo é variável: cujo, cuja, cujos, cujas.

Para a introdução do pronome relativo **cujo** o professor escreverá quatro exemplos na lousa empregando cada forma de **cujo**. Em seguida, os alunos deverão deduzir o uso das formas (cujo, cuja, cujos, cujas) e sua função.

Agora, os alunos farão os exercícios.

Para fixar o uso dos pronomes relativos, o professor poderá fazer exercícios adicionais simples já que seu emprego não é tão fácil.

1. O professor escreverá todos os pronomes relativos em diversos papéis. Mostrará um papel a cada aluno que deverá fazer, com o pronome relativo indicado no papel, uma frase.

2. O professor dará exercícios extras aos alunos, tais como este:

1. Este é o amigo... você já conhece.
2. Esta é a caneta com... escrevi a carta.
3. Esta é a caneta... comprei no Brasil.
4. Estes são os senhores... encontramos no domingo.
5. Estes são os senhores para ... comprei os bilhetes.
6. Estas são as meninas... dançam tão maravilhosamente.
7. Esta são as meninas com... dançamos no sábado.
8. Este é o amigo com... estive em Paris.
9. O empregado de... te falei está ali.
10. A sala de... te falei tem uma área de 26m².
11. A casa em... moro é muito pequena.
12. A senhora de... te falei tem uma figura excelente.
13. O livro de... fala o jornal saiu há 5 meses.

(extraído de Helmut Rostock: Lehnbuch der Portuguesischen Sprache, Leipzig, 1988)

Intervalo — Crie duas estórias

A partir dos desenhos, os alunos poderão criar histórias em forma de narração ou diálogo. A partir do primeiro quadro, um "trombadinha" assaltando um senhor de idade em plena luz do dia, o professor poderá discutir com a classe um dos problemas mais sérios da atualidade brasileira: o dos menores carentes ou abandonados. A classe poderá propor soluções e discuti-las.

O segundo quadro, por não apresentar uma situação definida claramente, poderá sugerir histórias variadas: o marido está bravo / o casal vive vida enfadonha / a esposa é uma típica dona-de-casa etc.

3.12.2.3. Texto Narrativo — Pedras Preciosas brasileiras (2)

Preparação e apresentação do texto

O texto narrativo será lido pelos alunos sem ajuda do professor.

Eles deverão trabalhar com o glossário ou dicionário e responder às perguntas do exercício. Feito o exercício A, o texto será lido em voz alta. Em seguida, serão respondidas as perguntas.

Para fixação e enriquecimento do vocabulário, os alunos poderão falar ou escrever sobre as riquezas minerais de seus países.

Como exercício adicional para as classes mais motivadas, com a finalidade de repetir o emprego dos tempos verbais, o Pretérito Perfeito e o Imperfeito, os alunos deverão explicar o emprego dos tempos no texto.

Terminada a Unidade 12, os alunos farão o Teste 6 do Caderno de Testes.

3.13. Unidade 13

3.13.1. Conteúdo da Unidade

Textos
▪▪ Diálogo: Um médico ocupadíssimo ▪▪ Contexto: A outra noite Intervalo: Expressões Texto Narrativo: Belém do Pará ▪▪ Ditado
Itens gramaticais — Presente do Subjuntivo: formas irregulares — Emprego do Subjuntivo com expressões impessoais e conjunções — Advérbios em –mente — Advérbios irregulares: **bem, mal, alto, baixo, muito, pouco, bastante** — Formas enfáticas: **por que é que, o que é que** etc.

3.13.2. Sugestões práticas para o ensino

3.13.2.1. Um médico ocupadíssimo

Gramática
— Presente do Subjuntivo: formas irregulares — Subjuntivo empregado com expressões impessoais e conjunções: **é possível que, é difícil que, convém que, para que, até que** etc.
Estruturas
— consigo falar — para que você consiga — é necessário que você vá
Expressões
— não adianta — atende com hora marcada

Preparação e apresentação do texto

O texto não precisa de preparação porque as estruturas e palavras novas não apresentam dificuldades para o entendimento do diálogo.Este será introduzido através da gravação do texto ou de leitura feita pelo professor. Os alunos deverão ouvir o diálogo duas vezes para poder, depois, escolher a alternativa correta entre frases escritas na lousa pelo professor.

Escolha a alternativa correta;

1. O homem não consegue falar com o Dr. Medeiros porque o médico
   a) nunca está no consultório.
   b) está no consultório só de manhã.
   c) está sempre ocupado.
   d) não quer atendê-lo.

2. O Dr. Medeiros atende:
   a) só com hora marcada.
   b) só com hora marcada pelo telefone.
   c) antes das 8.
   d) primeiro os clientes que chegam primeiro.

Respondidas as perguntas, o texto será ouvido outra vez, com os livros abertos. Depois das explicações necessárias, o texto será lido pelos alunos em grupos pequenos.

Lido o texto, os alunos poderão fazer diálogos semelhantes para a fixação do vocabulário novo.

Explicação e prática dos itens gramaticais

Exercícios A, B, C, D, E

As noções gramaticas a serem desenvolvidas nestes exercícios são o Presente do Subjuntivo dos verbos com formas irregulares e emprego do Subjuntivo com expressões impessoais e conjunções.

Com a finalidade de introduzir os verbos que têm formas irregulares no Presente do Subjuntivo os alunos deverão procurar as formas irregulares no diálogo de abertura. O professor escreverá as formas com as frases na lousa:

— é necessário que você vá ao consultório.

— talvez seja mais fácil.

— convém que você esteja lá.

A partir das frases, o professor conjugará na lousa os verbos **estar, ser** e **ir.** Em seguida, conjugará os outros verbos, dando exemplos.

Agora um exercício adicional será feito para a prática dos sete verbos irregulares no Presente do Subjuntivo e para a repetição das frases com Subjuntivo introduzido por verbos de: desejo, ordem, dúvida e sentimento.

O professor escreverá em cartões azuis os verbos de desejo, ordem, dúvida e sentimento. Cada cartão contém só um verbo ou uma expressão.

Em cartões brancos, escreverá os sete verbos irregulares no Infinitivo.

Cada cartão branco contém um verbo. Agora mostrará um cartão azul e um cartão branco para os alunos e um aluno deverá fazer uma frase empregando os verbos indicados pelo professor.

Feito o exercício, o professor explicará o emprego do Subjuntivo com expressões impessoais e conjunções. A explicação será feita através do modelo no livro do aluno, à p. 158. O professor explicará as expressões impessoais. Em seguida, os alunos deverão fazer várias frases com cada expressão e cada conjunção. Depois, o professor explicará, uma a uma, as conjunções, deixando claro o seu sentido. As conjunções deverão ser apresentadas sempre em frases completas.

Introduzidas as expressões impessoais e conjunções o professor fará outro exercício adicional comunicativo. Ele perguntará aos alunos várias coisas para que os alunos empreguem o Subjuntivo.

P: É necessário que você aprenda Português?
A: Sim, é necessário que eu aprenda Português.
   ou: Não, não é necessário que eu aprenda Português.

Depois, os exercícios A, B, e C serão feitos por escrito.

O controle será feito oralmente.

O exercício E será feito oralmente.

Antes de fazer o exercício E, o professor introduzirá o vocabulário do cinema. Ele escreverá as palavras e expressões novas na lousa:

— a sessão/ o início da sessão

— o ingresso

— fazer fila/ entrar na fila

— as primeiras fileiras/ a fileira

— as cadeiras do meio

e assim por diante.

A partir de um programa de cinema, dois alunos farão um diálogo.

A situação é a seguinte: dois amigos/ as encontram-se e querem ir ao cinema esta noite. Mas não sabem ainda qual será o filme, a hora e onde querem se sentar no cinema. Os alunos deverão, agora, fazer o diálogo.

Depois o exercício E será feito. O diálogo pequeno será lido por dois alunos, em voz alta, assim como o texto pequeno. Agora os alunos , em grupos pequenos, farão o trabalho.

Agora, os alunos podem fazer exercícios adicionais com a finalidade de praticar o Presente do Subjuntivo, também em suas formas irregulares. Deverão usar verbos de desejo, dúvida, sentimento, expressões impessoais e conjunções. Os alunos deverão fazer, por escrito:

— um anúncio procurando professor particular. O anúncio especificará os requisitos.

— um anúncio procurando um guia turístico com bons conhecimentos sobre história, costumes etc. do Brasil.

— um anúncio de alguém à procura de um marido/ uma esposa ideal, com especificação das qualidades necessárias.

Exercícios A, B

As formas interrogativas com partícula expletiva (O que é que... ?) serão introduzidas pelo professor através da leitura do exemplo e das frases do exercício A, à p. 161. O professor deverá enfatizar a cadência da frase:

O que é que você está vendo?

Em seguida, lerá novamente as frases, uma a uma, e os alunos as repetirão, podendo, depois, lê-las sem a leitura-modelo feita pelo professor.

O exercício B será desenvolvido do mesmo modo: primeiro o professor produzirá as frases, depois os alunos o imitarão para, em seguida, produzi--las sozinhos.

Os exercícios serão fundamentalmente orais.

3.13.2.2. A outra noite

Gramática — Advérbios em –mente — Advérbios irregulares: **bem, mal, alto, baixo, muito, pouco, bastante**
Estruturas — tanto lá como aqui — voltar-se para — estar a ouvir — sonhar em — chegar a — pensar em — como se
Expressões — estava um luar lindo — sinal fechado — aproveitar um sinal fechado — céu fechado de chuva — ora, sim senhor — fazer presente — mas que coisa — pagar a corrida

Rubem Braga

Rubem Braga nasceu em Cachoeiro do Itapemirim, ES, em 1913. Fez os estudos primários em sua cidade natal e o curso jurídico no Rio de Janeiro e Belo Horizonte (1932). Cedo dedicou-se ao jornalismo como cronista e repórter. Trabalhou como jornalista em vários estados. Fundador de Diretrizes, uma revista. Viajou largamente pelo país e estrangeiro como repórter, inclusive tendo feito a cobertura da guerra como correspondente junto à FEB. Escreveu muitas crônicas que são poemas em língua despojada, melodiosa e direta.

Crônica

A crônica é de grande popularidade no Brasil e tem sido dos gêneros literários mais ricos em contribuições originais. Aparentado com o "ensaio familiar" dos ingleses, encontra o gênero enorme ressonância, ocupando colunas regulares de jornais e revistas. Tem a forma de pequena exposição em prosa, leve, informal, impessoal, bisbilhoteira, em linguagem coloquial, a propósito de fatos, cenas ou pessoas. Grandes nomes de literatura brasileira cultivam ou cultivaram a crônica, como Machado de Assis, Humberto de Campos, Álvaro Moreira, Manuel Bandeira, Carlos Drummond de Andrade, Fernando Sabino e, naturalmente, Rubem Braga.

Preparação e apresentação do texto

O texto pode ser apresentado diretamente. O professor tira cópias dele, omitindo os verbos, os distribui na classe. Ouvindo o texto, os alunos deverão introduzir os verbos na forma e no tempo corretos.

Depois o texto será ouvido outra vez.

Em seguida, será lido em voz alta pelos alunos. Caso oportuno, os alunos poderão analisar as formas verbais que aparecem, tentando explicar seu emprego.

Compreensão e vocabulário

Com a finalidade de praticar o entendimento global, os alunos deverão fazer o exercício A sozinhos ou em grupos. O exercício será feito sem ajuda do dicionário. Terminado e corrigido o exercício, os alunos, com seus dicionários, deverão resolver as dificuldades ainda existentes.

Os exercícios B e C serão feitos para ampliação do vocabulário. Os exercícios poderão ser feitos oralmente ou por escrito.

Explicação e prática dos itens gramaticais

Exercícios A, B, C

Os itens gramaticais a serem desenvolvidos nestes exercícios são a formação e o emprego dos advérbios.

O professor explicará a formação através do modelo à p. 163 do livro do aluno.

Entendida a formação do advérbio, o professor fará com que os alunos usem o advérbio:

P: Como você **entra na sala?**
A: Eu entro silenciosamente.
P: Como você **fala? Rapidamente?**
A: Não, eu falo lentamente.
ou
P: Você fala lentamente?
A: Não, não falo lentamente   *ou:* Sim, falo lentamente.

E assim por diante.

Mais tarde, os alunos farão perguntas uns aos outros. Em seguida, será feito o exercício A.

Depois os exercícios B e C serão feitos oralmente ou por escrito.

Agora os alunos saberão quais expressões substituem os advérbios, e assim terão mais possibilidades de expressão.

Como exercício adicional, o professor tem várias possibilidades:

— poderá projetar uma imagem em vídeo.

Agora os alunos deverão descrever o que a pessoa / as pessoas faz / fazem e como o faz / fazem.

— um aluno apresenta uma cena e outro aluno poderá descrevê-la e dizer **como** foram realizadas as ações.

— o professor e/ou alguns alunos poderão apresentar fotos e explicar **como** as ações se desenrolaram.

Exercícios D, E

A noção gramatical a ser desenvolvida é o advérbio irregular. O professor explicará os advérbios irregulares através das frases à p. 165 no livro do aluno.

Em seguida, os alunos farão os exercícios oralmente ou por escrito.

Como exercício adicional, os alunos deverão criar uma história, empregando todos os advérbios irregulares. O trabalho pode ser feito individualmente ou em grupos.

Intervalo — Expressões

O intervalo apresenta expressões com **morrer de** e **fazer**.

O professor lerá cada uma das expressões e a frase que a acompanha.

Formará, em seguida, mais duas frases com a mesma expressão, podendo, então pedir aos alunos que formem suas próprias frases, empregando a expressão em foco.

3.13.2.3 Texto Narrativo — Belém do Pará

Belém do Pará é uma poesia de Manuel Bandeira.

Informações sobre Manuel Bandeira foram dadas à p. 90/91.

Belém é a capital do Estado do Pará, no norte do Brasil. Foi fundada em 1916 e tem hoje uma população de 934.330 habitantes.

Preparação e apresentação do texto

O professor lê toda a poesia uma vez. Depois, lerá outra vez o texto, explicando palavras, expressões e o significado de frases inteiras com ajuda do exercício A "Compreensão", no alto da p. 168.

Os exercícios B e C que se referem ao conteúdo do texto serão feitos oralmente.

Em seguida, far-se-á o ditado.

3.14. Unidade 14

3.14.1. Conteúdo da Unidade

Textos
●●Diálogo: Agência de viagens ●●Contexto: Minha insegurança bancária Intervalo: Expressões idiomáticas Texto narrativo: Manaus

Itens gramaticais
— Imperfeito do Subjuntivo dos verbos regulares e irregulares — Emprego do Imperfeito do subjuntivo — Futuro do pretérito / condicional — Ordens e pedidos com o imperativo e o futuro do pretérito — Cognatos (Verbos, substantivos e adjetivos)

Caderno de Testes:
Teste 7

3.14.2. Sugestões práticas para o ensino

3.14.2.1. Agência de viagens

Gramática
— Imperfeito do Subjuntivo dos verbos regulares e irregulares: **dissesse, morasse...** — Emprego do Imperfeito do Subjuntivo

Estruturas
— eles queriam que eu pagasse — embora não fosse

Expressões
— Pois é — nada deu certo — como assim? — pagar adiantado — ter condições para — torcer o nariz — assim não dá! — ser problema

Preparação e apresentação do texto

Para a introdução do Imperfeito do subjuntivo contido no texto, o professor fará um exercício comunicativo.

P: Ontem eu comprei um jornal. O jornaleiro **queria** que eu **pagasse** o jornal. E você?

A: Ontem comprei uma máquina. O vendedor **queria** que eu **pagasse** em seguida.

Enquanto os alunos estiverem fazendo o exercício, o professor escreverá sua frase-modelo na lousa, sublinhando **queria** e **pagasse**.

Feito o exercício, o professor explicará a formação do Imperfeito do Subjuntivo e fará o exercício A.

Com a finalidade de introduzir algumas novas palavras ligadas à idéia de viajar, o professor distribuirá um prospecto ou propaganda de uma agência de viagens. O professor escreverá algumas palavras necessárias na lousa, por exemplo:

— viajar para

— fazer uma viagem

— uma agência de viagens

— as condições de pagamento / condições para pagar

— à vista / a prazo

— o plano de pagamento

— a organização da firma

— o agente de viagens

E assim por diante. Agora o professor perguntará aos alunos a respeito do material.

Modelo:

P: Você quer viajar? Para onde? Você vai a uma agência de viagens? Quanto custa a viagem? Como é o plano de pagamento? Como é a organização da viagem? etc.

Depois da introdução das palavras, o texto será ouvido duas vezes, com os livros fechados. Com os livros abertos, o diálogo será ouvido outra vez. Depois das explicações necessárias à compreensão, os alunos lerão o texto.

Para fixar e praticar o vocabulário, o professor fará um exercício adicional. Através da propaganda ou dos prospectos, os alunos farão um diálogo numa agência de viagens. Um aluno fará o papel do agente de viagens e outro aluno fará o do cliente.

Explicação e prática dos itens gramaticais

Exercício A

A noção gramatical a ser desenvolvida é a formação do Imperfeito do Subjuntivo.

O Imperfeito do Subjuntivo forma-se a partir da 3a. pessoa do plural do Perfeito do Indicativo dos verbos regulares e irregulares.

Para introduzir o assunto, o professor dará vários exemplos usando os verbos no livro do aluno, à p. 171.

Eu **queria** que você **morasse** no Rio de Janeiro.

Era provável que ele **abrisse** a porta.

O vendedor **estava** na loja para que **vendesse** os produtos.

O professor **ensinava** inglês para que os alunos **pudessem** aprender inglês.

Eu **duvidava** que ela **dissesse** algo.

Depois o professor conjugará na lousa o Imperfeito do subjuntivo dos verbos em – ar, – er e – ir e explicará a formação desse tempo.

Em seguida, os alunos deverão conjugar outros verbos. O professor dará um verbo e um aluno o conjugará no Imperfeito do subjuntivo.

Feita a introdução, os alunos farão o exercício A por escrito.

A correção será feita oralmente.

Exercícios B, C, D, E, F, G

Os itens gramaticais a serem tratados são a formação e o emprego do Imperfeito do Subjuntivo.

Emprega-se o Imperfeito do Subjuntivo nos mesmos casos do Presente do Subjuntivo quando o verbo da oração principal estiver no Pretérito (Perfeito, Imperfeito, Mais-que-Perfeito e Futuro do Pretérito).

Eu mandei que Ana preparasse...
Eu queria que ele soubesse...

Para a introdução do assunto, o professor escreverá na lousa vários exemplos com o Imperfeito do Subjuntivo. Os exemplos no alto da p. 172 podem servir de modelo. Agora, os alunos deverão dizer por que o Imperfeito do Subjuntivo é usado.

Em seguida o professor explicará outra vez o assunto e os exercícios B, C, D e E serão feitos oralmente. Depois os alunos farão os exercícios F e G por escrito. A correção será feita oralmente.

Com a finalidade de praticar o Imperfeito do Subjuntivo, podem ser feitos os seguintes exercícios:

— No ano passado eu procurei um homem ideal. Eu queria que fosse alto...

Os alunos deverão escrever um anúncio de casamento usando o Imperfeito do Subjuntivo.

— Ontem eu procurei um professor que soubesse muito sobre história, costumes, geografia, o desenvolvimento do Brasil etc.

— Faz quinze dias que eu estive no posto de gasolina para que me fizessem uma boa revisão do carro. Eu mandei que fizessem...

— Ontem fui a uma agência de viagens. Não fui bem atendido. Desisti daquela agência porque duvidei que...

— Faz dez dias que toda a família foi para a casa de campo. Chegando lá, todas as pessoas tinham que fazer algo. A mãe mandou: é necessário que você abra as janelas.

Os alunos farão uma lista de frases atribuídas à mãe. Depois retomarão as frases com o verbo da oração principal no Infinitivo:

Era necessário que Maria abrisse a janela.

O professor poderia escolher também outros temas para praticar o Imperfeito do Subjuntivo.

3.14.2.2. Minha insegurança bancária

Gramática	
	— Futuro do pretérito dos verbos regulares e irregulares: **moraria, traria**
	— Ordens e pedidos com o Imperativo e o Futuro do Pretérito.
	— Cognatos (verbos, substantivos e adjetivos)
Estruturas	
	— tomar conta de
	— dirigir-se-a
	— intrometer-se em
	— tratar-se de
	— desenrolar-se
	— atropelar-se
Expressões	
	— dar para
	— dar certo / errado
	— só dá...
	— não dá outra
	— dar uma colher de chá
	— sinal dos tempos
	— estamos todos aí
	— numa boa
	— pois não é que
	— nem nada
	— aliás

Ignácio de Loyola Brandão

Ignácio de Loyola Brandão nasceu no interior do Estado de São Paulo em 1936. Trabalhou como jornalista e argumentista em São Paulo. Publicou três volumes de contos e três romances. Entre os romances, destaca-se sua obra *"Zero. Romance pré-histórico"*, publicado em 1974.

Em 1982, recebeu uma bolsa do DAAD para trabalhar em Berlim, Alemanha Ocidental.

Preparação e apresentação do texto

O professor introduzirá algumas palavras do vocabulário bancário: o banco; o guichê; o guichê sem vidro; o bancário; o funcionário do banco; preencher o cheque; consultar o saldo; operações bancárias; sacar; office-boy.

Além das palavras do texto, poderia introduzir mais palavras: ação, bolsa, dívida, conta, moeda, nota, ouro, o talão de cheques, o cheque de viagem, a transferência bancária, a caderneta de depósitos, os juros, a taxa de juros, a divisa, o câmbio do dia, a hipoteca, o empréstimo, o fiador, o crédito, o credor, o câmbio, abrir conta no banco, pôr dinheiro a juros, investir dinheiro em papéis de crédito, passar um cheque, pagar um cheque, contrair um empréstimo, contrair uma dívida, depositar dinheiro, levantar dinheiro, transferir dinheiro, trocar marcos por cruzados.

Não é necessário que o professor introduza todas as palavras. Para os alunos será suficiente conhecer algumas palavras necessárias em seu dia--a-dia. Dependerá, no entanto, do grupo quais são as palavras necessárias.

A introdução do vocabulário será feita em português. Explicando as diversas palavras, o professor escrevê-las-á na lousa. Depois da introdução do vocabulário bancário, o professor poderá fazer um exercício de compreensão oral ou de texto, através do texto abaixo, em português de Portugal:

No banco

— Bom dia! Quero trocar três cheques.
— "Travel" ou eurocheques?
— "Travel"?
— Sim, cheques de viagem.
— Ah, não, não! Eu tenho eurocheques. Qual é o montante máximo por cheque?
— Doze mil escudos.
— A como é que está o câmbio do marco?
— Um marco são cinquenta e dois escudos (52$00). O senhor podia dar-me o seu cartão-eurocheque e o seu passaporte?
— Com certeza.
— Aqui tem a sua chapa com o número de chamada. Aguarde a sua vez na caixa três, por favor.
— Obrigado e bom dia.
— Obrigado nós. Bom dia e boas férias.
— Número cento e vinte e sete!
— Sim, sou eu. Aqui está a chapa.
— Quanto recebe o senhor?
— Trinta e seis mil escudos.
— Como quer o dinheiro?
— Trinta contos, em notas de cinco mil. Cinco contos, em notas de mil e de quinhentos escudos. O resto, em notas de cem, cinquenta e vinte. E algumas moedas também, por favor.

— Faça o favor de conferir.

— Está certo

— Guarde bem o dinheiro antes de sair a porta do banco.

— Obrigado pelo conselho! Adeus, bom dia.

(extraído: conversação de todos os dias, Ernst-klett Verlag, Stuttgart, 1985, pp.11/12)

Para fazer um exercício de compreensão do texto o professor o dividirá em partes e fará algumas perguntas a respeito: onde estão as pessoas? O que querem fazer? Quanto dinheiro querem trocar? etc.

Tratando-se de exercício de entendimento oral, o professor fará as mesmas perguntas e lerá o texto duas vezes em voz alta.

Terminado o exercício, os alunos deverão fazer diálogos semelhantes usando as palavras introduzidas pelo professor.

Agora, os alunos ouvirão o texto "Minha insegurança bancária" duas vezes e farão o exercício A. Assim a compreensão do texto será praticada. Depois da correção do exercício A, os alunos deverão completar a compreensão com a ajuda do dicionário. Em seguida, o texto será lido em voz alta.

Compreensão e vocabulário

Lido o texto, os alunos responderão às perguntas do exercício B, e farão o exercício C.

Feitos os exercícios A e B os alunos podem escrever ou falar sobre as vantagens e desvantagens do serviço bancário.

Expressões com o verbo dar

O professor dará exemplos com cada uma das expressões. Depois, o professor mostrará aos alunos diversos papéis, cada qual contendo uma expressão, e os alunos farão uma frase empregando a expressão indicada.

Em seguida, o exercício D será feito oralmente.

Explicação e prática dos itens gramaticais

Exercício A

A noção gramatical a ser desenvolvida no exercício A é a formação do Futuro do Pretérito.

Para a introdução, o professor extrairá as frases com Futuro do Pretérito do texto.

— ... com o qual não **existiria** nenhum atropelo

— só **ficaria** diante do funcionário do banco

— a uns dois metros do guichê **haveria** um corredor

— assim as operações se **desenrolariam** com calma, ninguém se **atropelaria**, ninguém **ficaria** procurando fila menor.

— você não **teria** ninguém do teu lado...

Agora o professor explicará a formação do Futuro do pretérito dos verbos, dando três exemplos com verbos terminando em − ar, − er e − ir. Depois dará as formas irregulares dos verbos **trazer, fazer e dizer.**

O exercício A será feito, então, por escrito. A correção será feita oralmente. Essa forma verbal não é difícil para os alunos porque já conhecem o Futuro do Presente.

Exercícios B, C, D

O item gramatical a ser tratado nestes exercícios é o emprego do Futuro do Pretérito. O Futuro do Pretérito aparece:

a) na oração subordinada a verbo que esteja no passado e implique declaração: "Soube que partiria hoje."

b) para suavizar a manifestação de um desejo, uma pergunta ou um pedido de informação: "Você poderia ajudar-me."

c) no período hipotético, quando a hipótese é irreal: "Se Júpiter existisse, Roma teria vencido."

d) no período hipotético, quando a hipótese é possível: "Se eu quisesse, eu faria."

e) para indicar aproximação, imprecisão: "Seriam dez homens..."

f) para evidenciar uma suposição: "Eu não faria o que você está fazendo."

No exercício B, o emprego do (a) será praticado. O professor introduzirá o assunto dando vários exemplos. Os exemplos serão transformados do presente ao passado. Em seguida, os alunos deduzirão o emprego do Futuro do Pretérito através dos exemplos dados pelo professor.

Agora, os alunos farão os exercícios B e C por escrito.

O emprego do Futuro do Pretérito para expressar ordens e pedidos (b) será explicado através do modelo no livro do aluno no alto da p. 181.

Depois o exercício será feito por escrito.

Exercício D

Trata-se de exercício para fixar e ampliar vocabulário.

Os alunos serão divididos em quatro grupos. O grupo que terminar primeiro será o vencedor.

Intervalo — Expressões idiomáticas

O professor explicará as expressões idiomáticas através de exemplos.

Depois, os alunos abrirão os livros, cobrirão o texto e deverão dizer a que expressão corresponde cada desenho.

Agora, deverão dar mais exemplos.

3.14.2.3. Texto Narrativo — Manaus

Preparação e apresentação do texto

A introdução do texto poderá ser feita através de fotos de Manaus e da região amazônica e com ajuda de um mapa geográfico. O professor falará sobre Manaus e a região amazônica usando as palavras do texto. Feita a introdução, os alunos lerão o texto com a ajuda do dicionário e responderão às perguntas do exercício A em grupos pequenos.

Respondidas as perguntas poderá ser feito um exercício adicional.

A situação do diálogo: uma agência de viagens com dois clientes. Os clientes querem ir para Manaus e pedem informações sobre Manaus e a região amazônica ao agente de viagens. Também informam-se sobre as condições da viagem. Um aluno fará o papel de agente de viagens, os outros dois alunos farão o dos clientes.

No final, os alunos farão o Teste 7 do Caderno de Testes.

3.15. Unidade 15

3.15.1. Conteúdo da Unidade

Textos
[• •]Diálogo 1: De papo pro ar!
[• •]Contexto: O gato e a barata
[• •]Intervalo: Canções: A Banda, A Felicidade
Texto Narrativo: Carnaval
[• •]Ditado

Itens gramaticais
— Orações condicionais
— Presente do indicativo dos verbos terminando em – **ear,** – **iar** e – **uir: passear, odiar, construir**
— Presente dos verbos irregulares **perder, valer, medir, caber** e **seguir**
— O imperativo dos verbos regulares e irregulares

3.15.2. Sugestões práticas para o ensino

3.15.2.1 De papo pro ar!

Gramática
— Orações condicionais

— Presente do indicativo dos verbos terminando em – **ear**, – **iar** e – **uir**: **passear, odiar, construir** — Presente dos verbos irregulares **perder, valer, medir, caber** e **seguir**
Estruturas Se eu fosse você, eu não ficaria...
Expressões — aprender um ofício — perder tempo — dia e noite — juntar dinheiro — fazer seu pé-de-meia — tirar férias — ficar de papo pro ar

Preparação e apresentação do texto

Antes de ler o texto ou tocar sua gravação o professor poderia introduzir a oração condicional através de exemplos. Por ex.:

Se eu **fosse** você, eu **aprenderia** todo dia português.

Seu eu **estivesse** no seu lugar, eu **falaria** muito português.

Mas a introdução das orações condicionais não é necessária antes da leitura do texto porque as formas verbais da oração condicional são conhecidas pelos alunos. Como o vocabulário não deverá oferecer maiores dificuldades, a apresentação do texto poderá ser feita em seguida.

O professor deverá apresentar o texto como sempre: livros fechados, os alunos ouvirão duas vezes a fita ou a leitura pelo professor.

Livros abertos, o diálogo será ouvido pela terceira vez. Depois das explicações necessárias à compreensão, os alunos lerão o diálogo.

Agora, antes de fazer perguntas a respeito do texto as orações condicionais deverão ser introduzidas para que os alunos possam responder às perguntas. O professor extrairá as orações condicionais do texto:

Se eu fosse você, não ficaria aí.

Se o senhor estivesse no meu lugar, o que o senhor faria?

A partir das duas frases o professor explicará a formação da oração condicional. Para praticar a estrutura gramatical e o vocabulário do diálogo de abertura, o professor fará algumas perguntas a respeito do texto, empregando orações condicionais.

O que faria Seu Miguel se estivesse no lugar de Toninho?

Se Seu Miguel fosse Toninho, pescaria o dia inteiro?

Se Seu Miguel estivesse rico, o que faria? etc.

Em seguida, os alunos deverão também fazer perguntas a respeito do texto, usando orações condicionais.

Explicação e prática dos itens gramaticais

Exercícios A, B, C, D, E nas pp. 187/188

As orações condicionais devem ser desenvolvidas nestes exercícios. Os alunos farão os exercícios A e B por escrito. Os exercícios C, D e E serão feitos oralmente.

Exercício A nas pp. 189/190

Os itens gramaticais a serem desenvolvidos são as conjugações dos verbos terminando em – ear, – iar e – uir.

O professor introduzirá parte das conjugações com ajuda de exercícios comunicativos:

P: Eu não **construo** uma casa. E você? Você **constrói** uma casa?
A: Construo, sim. ou: Não, não construo. — E você?
E assim por diante.
P: **Passeio** muito pelas ruas. E você? Por onde você **passeia**?
A: Eu passeio...

Feitos os três exercícios o professor escreverá todas as conjugações na lousa e explicará que a maioria dos verbos em – iar conjuga-se regularmente. Só os verbos **construir** e **destruir**, dos verbos terminados em -uir, são irregulares.

Em seguida, os alunos farão o exercício por escrito. A correção será feita oralmente.

Exercício A na p. 191

As noções a serem desenvolvidas são os verbos irregulares **perder, valer, medir, caber** e **seguir**. Esses verbos só são irregulares na 1a. pessoa do Presente do Indicativo (Atenção ao subjuntivo!). O professor escreverá todas as conjugações na lousa, explicando a formação das formas verbais. Agora, o exercício A será feito por escrito.

3.15.2.2. Contexto – O gato e a barata

Gramática
— O Imperativo dos verbos regulares e irregulares

Estruturas
— subir por
— descer por
— cair dentro de
— deparar com

— sorrir de
— ver-se em
— tão (imbecil) a ponto de
Expressões
— o álcool lhe subiu
— cair na gargalhada
— cumprir a promessa

Millôr Fernandes

Millôr Fernandes é autor de obras de teatro (*Um Elefante no Caos*), fábulas e poemas. Muitas de suas obras têm uma linha de humorismo sofisticado e toques surrealistas.

Fábula

A fábula é um conto pedagógico, didático e muitas vezes satírico, com finalidade instrutiva. É uma narração alegórica, cujas personagens são geralmente animais. A fábula sempre encerra uma lição moral.

Preparação e apresentação do texto

O texto será ouvido duas vezes. Em seguida, o professor fará algumas perguntas a respeito do conteúdo do texto para avaliar o entedimento global. Depois o texto será ouvido pela terceira vez, com os livros abertos. Depois das explicações necessárias à compreensão, os alunos lerão o texto em voz alta.

Compreensão e vocabulário

Depois da leitura do texto, os alunos farão os exercícios A e B oralmente. Os exercícios C, D e E serão feitos em grupos pequenos. A correção será feita oralmente.

Explicação e prática dos itens gramaticais

Exercícios A, B, C, D, E, F

A noção gramatical a ser desenvolvida nestes exercícios é o Imperativo dos verbos regulares e irregulares.

As formas do Imperativo correspondem às formas do Presente do Subjuntivo. O Imperativo será introduzido pelo professor através de exemplos da situação real do momento:

P: Roger, **abra** a janela!
   Gabriele e Maria, **abram** os livros na página 192 para ler o texto "O gato e a barata"!
   Aprendamos o Imperativo!
   Abram os livros na página 194!

Agora, como o professor mandou, os alunos deverão abrir os livros e o professor explicará o Imperativo através do modelo do livro. Em seguida, os alunos deverão dar ordens aos outros alunos empregando o Imperativo. Feita a introdução e o exercício comunicativo, os alunos farão os exercícios A e B oralmente. Os exercícios C, D e F serão feitos por escrito. O exercício E será feito, em grupos pequenos, por escrito.

Como exercício comunicativo adicional, os alunos podem pôr-se no lugar do professor de Português, dando ordens adequadas aos outros alunos.

Exercício G

Neste exercício o vocabulário será ampliado.

O exercício será feito oralmente.

Intervalo — Canções: A Banda, A Felicidade

As duas canções encontram-se gravadas em fita.

Os alunos ouvirão as canções duas vezes, com os livros fechados. Livros abertos, as canções serão ouvidas outra vez.

Agora os alunos deverão responder às perguntas a respeito de "A Banda" com a ajuda do dicionário, se for necessário.

Depois de ter ouvido "A Felicidade", os alunos deverão explicar o conteúdo da canção.

Caso haja interesse da classe, o professor poderá falar sobre a obra de Chico Buarque e de Vinícius de Morais, apresentando aos alunos outras canções desses compositores tão importantes no cenário da música popular brasileira.

3.15.2.3. Texto narrativo — O carnaval

O professor introduzirá o texto através de slides ou fotos do carnaval do Brasil. Também poderá apresentar os vários tipos de música carnavalesca tocados em diferentes regiões do Brasil nos dias de carnaval. O professor poderá também conduzir os alunos a discutirem os vários aspectos da festa e sua significação para o povo brasileiro.

Os alunos, depois, lerão o texto, se necessário com a ajuda do dicionário e responderão oralmente às perguntas do exercício A.

Agora, com a finalidade de praticar e ampliar o vocabulário, os alunos podem contar sobre o carnaval nos seus países. Os outros alunos podem intervir no relato, fazendo perguntas. Também podem mostrar slides ou fotos do carnaval nos seus países. Isso é muito interessante em aulas com alunos de diversos países.

Terminada a Unidade, será feito o ditado.

3.16. Unidade 16

3.16.1. Conteúdo da Unidade

Textos
⊙⊙Diálogo: Queremos entrevistá-lo ⊙⊙Contexto: Natal Intervalo: Poeminhas cinéticos Texto Narrativo: O Brasil do açúcar e do café (1)
Itens gramaticais
— O Futuro do Subjuntivo dos verbos regulares e irregulares — O emprego do Futuro do Subjuntivo: — com conjunções — em orações relativas — aconteça o que acontecer, haja o que houver — Colocação do pronome átono — Preposições: — preposições simples — locuções prepositivas — contrações das preposições; – crase — cognatos (fruta – árvore)
Caderno de Testes: Teste 8

3.16.2. Sugestões práticas para o ensino

3.16.2.1. Queremos entrevistá-lo

Gramática
— Futuro do Subjuntivo dos verbos regulares e irregulares — Emprego do Futuro do Subjuntivo: — com conjunções: **quando, enquanto, logo que, assim que, depois que, se, como, sempre que, a medida que, conforme** — em orações relativas — aconteça o que acontecer, haja o que houver
Estruturas
— Quando o avião pousar entraremos na pista — haja o que houver
Expressões
— pelo menos por meia hora — perder a oportunidade

Preparação e apresentação do texto

Antes de ler o texto ou tocar sua gravação, o professor introduzirá algumas palavras contidas nele: o governo, o funcionário do governo, o governador (não contido no texto), o Primeiro Ministro, o representante, o Hino Nacional, o jornalista, a entrevista, entrevistar...

Agora os alunos ouvirão duas vezes o diálogo de abertura, com seus livros fechados. Com seus livros abertos, ouvi-lo-ão pela terceira vez.

Em seguida, os alunos lerão o diálogo em grupos pequenos. O vocabulário deve ser conhecido e o Futuro do Subjuntivo não deve apresentar maiores dificuldades para a compreensão do texto. O Futuro do Subjuntivo será explicado mais tarde.

Lido o texto, o professor fará algumas perguntas a respeito do texto.

Explicação e prática dos itens gramaticais

Exercício A

A formação do futuro do subjuntivo será desenvolvida no exercício A.

Os alunos deverão procurar as frases com o futuro do Subjuntivo no diálogo de abertura.

Quando o avião **pousar**...
Assim que o Primeiro Ministro **aparecer** à porta do avião...
Nesse momento, se **for** possível, os jornalistas...
Haja o que **houver**...

Agora o professor escreverá a conjugação do verbo **morar** na lousa e explicará a formação do Futuro do Subjuntivo a partir da 3a. pessoa do plural do Pretérito Perfeito do Indicativo. Os alunos deverão escrever as conjugações dos verbos terminando em – er e - ir na lousa.

Escritas as conjugações, o professor explicará outra vez através de exemplos que a formação é a mesma para os verbos regulares e irregulares.

Os alunos farão o exercício A por escrito em seguida.

Para intensificar o assunto, um aluno dirá um verbo e outro dará toda a conjugação oralmente. O exercício será feito em corrente até que todos os alunos tenham conjugado um verbo.

Exercício B

O emprego do Futuro do Subjuntivo depois de conjunções temporais e comparativas quando se referem ao futuro (quando, enquanto, logo que, assim que, depois que, se, como, sempre que, à medida que, conforme) será tratado. O professor introduzirá o assunto através de exemplos. O professor deverá explicar também que o verbo na oração principal estará no Futuro do Indicativo:

Enviarei dinheiro quando **quiser**.

O professor mostrará um papel com uma conjunção a cada aluno e esse deve fazer uma frase empregando a conjunção e o Futuro do Subjuntivo. Em seguida os alunos farão o exercício B por escrito.

Exercício C

O emprego do Futuro do Subjuntivo nas orações relativas quando se referem ao futuro e denotarem incerteza e mera possibilidade será desenvolvido nesse momento.

O professor introduzirá outra vez o assunto através de exemplos.

Em seguida, cada aluno deverá fazer uma frase empregando o Futuro do Subjuntivo em orações relativas.

Agora os alunos farão o exercício C por escrito.

Exercícios D, E

O Futuro do Subjuntivo é usado em orações do tipo: aconteça o que acontecer.

Para introduzir o assunto o professor tomará as frases do modelo no livro do aluno à p. 205. Agora os alunos farão os exercícios D e E.

O Futuro do subjuntivo deve ser repetido várias vezes com cuidado por ser essa uma das dificuldades para quem aprende o Português como língua estrangeira porque o Futuro do Subjuntivo não existe em muitas línguas.

Exercício A na p. 208

Esse exercício trata da colocação do pronome átono.

O professor introduzirá o assunto através de diversos exemplos e os alunos deverão derivar as regras de colocação.

Depois, o professor explicará outra vez as regras da colocação do pronome átono segundo o quadro no livro do aluno, página 207.

Agora, os alunos farão o exercício, justificando a colocação dada ao pronome.

Exercício B

Particularidades do complemento direto são repetidas.

Depois de palavras terminando em – s, r e z o complemento direto transforma-se em lo/ la com supressão do – s, – r e – z.

Exemplos: comprar   comprá-lo
           vender   vendê-lo
           abrir   abri-lo

faz	fá-lo
fez	fê-lo
diz	di-lo
compramos	compramo-lo
abrimos	abrimo-la

Se o verbo terminado em nasal (– **m** ou – **ão**) for seguido de pronome complemento direto, este tomará a forma de **no, na, nos, nas**. Ex.: Eles compraram-no/na/nos/nas.

O professor introduzirá o assunto através de exemplos. Como essa noção gramatical já foi introduzida na Unidade 6, os alunos deverão eles mesmos encontrar as regras. Em seguida o professor explicará outra vez o assunto. Então os alunos farão, sozinhos, o exercício B por escrito.

3.16.2.2. Contexto — Natal

Gramática
— Preposições:
— preposições simples
— locuções prepositivas
— contrações das preposições: — crase

Estruturas
— deixar-se ficar
— fazer bem a
— ter a lembrança de
— beber em honra de
— tão (carregado) que nem
— tão carregado como se
— lembrar-se de

Expressões
— dar telefonema
— filar

Rubem Braga, veja na página (103).

Preparação e apresentação do texto

O texto pode ser apresentado de dois modos diferentes.

Com a finalidade de praticar o entendimento global, o professor poderá fazer algumas frases do tipo certo/errado e os alunos deverão dizer se as frases estão certas ou erradas. Para isso os alunos ouvirão duas vezes o texto, com seus livros fechados.

Ou, com a mesma finalidade, os alunos deverão contar brevemente o conteúdo do texto depois de tê-lo ouvido.

Depois ouvirão outra vez o texto com seus livros abertos e lerão o texto depois das explicações necessárias à compreensão feitas pelo professor.

Compreensão e vocabulário

Os exercícios A, B e C são feitos em grupos pequenos. A correção será feita depois, em aula.

Os alunos farão os exercícios D e E oralmente.

Explicação e prática dos itens gramaticais

Exercícios A, B

As preposições simples serão tratadas nos exercícios seguintes. O professor introduzi-las-á através do quadro à p. 213 do livro do aluno. Cada aluno deverá fazer uma frase empregando as preposições a serem introduzidas. Em seguida, os exercícios A e B serão feitos por escrito.

Exercícios A, B na página 215

As locuções prepositivas desenvolvidas neste ponto serão introduzidas em frases apresentadas pelo professor, de preferência, girando em torno de um local: a cidade, o prédio da escola, por exemplo. Os alunos farão uns aos outros perguntas sobre a localização de objetos ou pessoas, na cidade ou na escola.

Como exercício adicional, cada aluno deverá descrever sua casa, um quarto no seu apartamento ou na sua casa, a rua onde mora ou trabalha, o bairro onde vive etc., usando as locuções prepositivas. Agora um aluno descreverá algo e outro aluno desenhará o descrito na lousa. Então o primeiro aluno deverá dizer se o desenho está certo ou errado e deverá corrigi-lo.

O professor pode, também, distribuir três mapas de três locais diferentes. Agora os alunos serão divididos em três grupos. Cada grupo deve descrever um local. Feitas as descrições, os alunos devem lê-las em voz alta e os outros alunos devem identificar no mapa o local descrito.

Exercícios A, B na p. 216

A noção gramatical a ser tratada é a contração das preposições. Como parte do assunto já foi introduzido, o professor explicará as contrações através do quadro à p. 215. Para a explicação da crase, escreverá todas as frases dadas como exemplos nas pp. 215 e 216 na lousa e as explicará.

Os exercícios A e B serão feitos por escrito.

Exercício C

O exercício C tem por finalidade a ampliação do vocabulário do aluno.

O exercício será feito oralmente.

Intervalo — Poeminhas cinéticos

O professor e os alunos lerão o primeiro poema e o analisarão sob o ponto de vista da forma, fazendo comentários livres sobre o mesmo.

Observação: A posição das letras em "saiu de lá assim" dá idéia de que o rapaz estava com soluções.

Seguir-se-á a mesma seqüência para a leitura e exploração do segundo poema.

Observação: A distância entre as linhas "que ele sobe a escada" dá idéia de que o rapaz, a partir do segundo degrau, subiu a escada de dois em dois.

Os alunos farão o exercício A oralmente.

3.16.2.3. Texto Narrativo — Riquezas do Brasil: o pau-brasil e o açúcar (1)

Preparação e apresentação do texto

O texto será lido pelos alunos com ajuda do dicionário. Em seguida, será lido em voz alta e o professor fará algumas perguntas fáceis a respeito. Depois os alunos responderão oralmente às perguntas do exercício A.

O texto dá ensejo a discussões em classe sobre temas variados: o colonialismo, a escravidão nos centros urbanos e nas áreas rurais, os quilombos e a figura de Zumbi dos Palmares. Havendo clima para discussões de tais tópicos em classe, deles deve o professor lançar mão para enriquecimento do curso.

Os alunos poderão, também, falar a respeito do seu próprio país, das riquezas nacionais, de seu desenvolvimento econômico etc.

Terminada a Unidade 16, os alunos farão o Teste 8 do Caderno de Testes.

3.17. Unidade 17

3.17.1 Conteúdo da unidade

Textos

- **••** Diálogo: Eu também teria desistido...
- **••** Contexto: Sua melhor viagem de férias começa em casa
- **••** Intervalo: Canções: Ronda; Quem te viu, quem te vê, Garota de Ipanema
- Texto Narrativo: O Brasil do açúcar e do café (2)
- **••** Ditado

Itens gramaticais
— Tempos compostos do Indicativo:
— Perfeito Composto
— Mais-que-Perfeito Composto
— Futuro do presente Composto
— Futuro do Pretérito Composto
— Tempos compostos do Subjuntivo:
— Perfeito Composto
— Mais-que-Perfeito Composto
— Futuro Composto
— Emprego dos tempos compostos do Indicativo e do Subjuntivo
— nenhuma dificuldade = dificuldade alguma
— deixar de
— o comparativo e superlativo dos adjetivos

3.17.2. Sugestões práticas para o ensino

3.17.2.1. Eu também teria desistido

Gramática
— Tempos compostos do Indicativo:
— Perfeito Composto
— Mais-que-Perfeito Composto
— Futuro do Presente Composto
— Futuro do Pretérito Composto

Preparação e apresentação do texto

Como o vocabulário do diálogo é fácil e as novas estruturas gramaticais, o Perfeito Composto, o Futuro do Presente Composto e o Futuro do Pretérito Composto são compreensíveis, o diálogo será introduzido diretamente, sem preparação nenhuma. Os alunos, com seus livros fechados, o ouvirão duas vezes e, com os livros abertos, uma terceira vez. Depois das explicações necessárias à compreensão, o texto será lido pelos alunos.

Agora, com a finalidade de praticar o vocabulário, o professor fará perguntas aos alunos a respeito do texto: se jogam tênis ou praticam outros esportes e que problemas têm em relação a eles (pouco tempo, preço alto etc.).

Explicação e prática dos itens gramaticais

Exercícios A, B, C

A noção gramatical a ser desenvolvida é o Perfeito Composto do Indicativo.

Como os alunos já conhecem o Mais-que-Perfeito Composto, a formação do Perfeito Composto não deverá oferecer maiores dificuldades. O professor escreverá a conjugação na lousa explicando a formação. Para introduzir o emprego do Perfeito Composto o professor dará alguns exemplos:

Este ano **tenho trabalhado** muito, por isso estou sempre cansado.
Não **tenho bebido** ultimamente porque o médico o proibiu.
Ultimamente não **tenho vendido** muito , por isso estou preocupado.

Agora os alunos deverão deduzir quando se emprega o Perfeito Composto. O professor poderia contrastar os exemplos com frases no Pretérito Perfeito simples para sublinhar a diferença no emprego dos dois tempos verbais.

Depois das explicações dos alunos o professor explicará outra vez o emprego do Perfeito Composto. Os alunos farão os exercícios A e B oralmente. O exercício C será feito por escrito.

O emprego do Perfeito Composto deverá ser explicado com cuidado para que os alunos não confundam este tempo com as formas análogas em alemão, francês, inglês e outras línguas. A forma **Ich habe gegessen/ J'ai mangé / I have eaten** são traduzidas pelo Perfeito Simples em Português (eu comi). **Eu tenho comido** corresponde à forma inglesa I have **been** eaten e expressa uma ação iniciada no passado e ainda não encerrada.

Exercícios D, E

O Futuro do Presente Composto do Indicativo será introduzido através de exemplos:
Às onze horas estarei livre porque já **terei terminado** meu trabalho.
Daqui a dois dias **terei lido** o livro e poderei contar a vocês o seu conteúdo.

Agora os alunos deverão primeiramente deduzir a formação do Futuro do Presente Composto. Depois o professor explicará a formação do Futuro do Presente do Indicativo e conjugará um verbo nesse tempo na lousa.

O emprego do tempo não deverá oferecer maiores dificuldades.

Agora os alunos farão os exercícios D e E oralmente.

Exercícios F, G

O item gramatical a ser tratado é o Futuro do Pretérito Composto do Indicativo.

Para introduzir o assunto, o professor dará outra vez alguns exemplos:
Eu lhe prometi que, quando ele regressasse de férias, eu já **teria reformado** a casa.
Aqui não lhe **teria acontecido** tal coisa!
Ela **teria preferido** ficar em casa hoje.

Agora os alunos poderão deduzir a formação do Futuro do Pretérito Composto do Indicativo e seu emprego. Em seguida, após sistematização do assunto pelo professor, os alunos poderão fazer os exercícios.

3.17.2.2. Sua melhor viagem de férias começa em casa.

Gramática

— Tempos Compostos do Subjuntivo
   — Perfeito Composto do Subjuntivo
   — Mais-que-Perfeito do Subjuntivo
   — Futuro Composto do Subjuntivo
   — Nenhuma dificuldade / dificuldade alguma
   — Deixar de

Estruturas

— ter medo de
   — optar por
   — Cognatos: formação de palavras com sufixo de autor:
     –or, –eiro, –ista

Expressões
— entrar em férias   — a (seu) gosto

Preparação e apresentação do texto

Para a introdução do tema, o professor perguntará aos alunos como planejam suas viagens normalmente. Agora todos os alunos deverão tomar parte na discussão.

Para a apresentação do texto, o professor tirará cópias do texto, omitindo os verbos, distribuindo-as aos alunos. Os alunos deverão completar o texto com as formas verbais corretas ouvindo o texto pela fita ou pela leitura feita pelo professor.

Completado o texto, a correção será feita oralmente. Depois o professor explicará as palavras e estruturas necessárias à compreensão e os alunos lerão outra vez o texto em voz alta. Lido o texto, o professor fará perguntas a respeito dele.

Compreensão e vocabulário

Os alunos farão os exercícios A, B, C e D oralmente. Antes de fazer o exercício E, o professor explicará o significado de **nenhuma dificuldade** e **dificuldade alguma** através de exemplos.

Em seguida os alunos farão o exercício oralmente.

Antes de fazer o exercício F, o professor explicará o sentido de **deixar de** através das frases do quadro à p. 228 do livro do aluno. Dada a explicação, os alunos farão o exercício F.

Explicação e prática dos itens gramaticais

Exercício A

O professor explicará que todos os tempos compostos de Subjuntivo são usados nas mesmas condições dos tempos simples do Subjuntivo, mas indicam sempre ação terminada.

Eu duvido que você **vá** (sempre / amanhã).
Eu duvido que você **tenha ido** (ontem).
É pena que ele não **possa vir**.
É pena que ele não **tenha podido vir** (ontem).

Depois de conjugar alguns verbos nesse tempo, os alunos farão frases com ele. Em seguida, farão o exercício A.

Exercícios B, C

A noção gramatical a ser tratada é o Mais-que-Perfeito Composto do Subjuntivo.

O professor introduzirá o assunto através de exemplos extraídos do texto e de outros criados pelo professor:

Se você **tivesse planejado** todos os passos da viagem, com certeza não **teria tido** nenhuma dificuldade.

Se nós **tivéssemos ido** a Portugal nas férias, **teríamos passado** muitos dias na praia.

Pensei que vocês **tivessem estudado** muito.

Agora explicará a formação e o emprego do Mais-que-Perfeito Composto do Subjuntivo. Em seguida os exercícios B e C serão feitos por escrito. Numa outra aula, os alunos poderão desenvolver as frase do exercício F, à p. 225:

Sem você, eu não teria chegado...
Se você não me tivesse ajudado, eu...

Exercício D

O item gramatical a ser desenvolvido é o Futuro Composto do Subjuntivo. O professor explicará a formação do tempo e seu emprego. Cada aluno deverá fazer uma frase usando o Futuro Composto do Subjuntivo.

Em seguida, os alunos farão o exercício por escrito.

Exercícios E, F, G, H

Os itens gramaticais a serem tratados são os tempos compostos do Subjuntivo: Perfeito Composto, Mais-que-Perfeito Composto e Futuro Composto e seu emprego.

Todos os exercícios serão feitos em grupos pequenos por escrito. A correção será feita oralmente na aula.

Para fixar melhor os tempos estudados, sugere-se que o professor prepare um texto sem verbos. Os alunos deverão completar o texto com os modos e tempos certos. Todos os verbos necessários serão indicados embaixo da página, no Infinitivo.

Exercício I

O objetivo deste exercício é a ampliação do vocabulário. O professor explicará a formação das palavras através de sufixos de autor:

cantar   cantor
cabelo   cabeleireiro
jornal   jornalista

Em seguida o exercício será feito por escrito.

Intervalo: Canções: Ronda. Quem te viu, quem te vê.
                   Garota de Ipanema.

As canções encontram-se gravadas em fita.

Preparação e apresentação do texto

As músicas serão apresentadas através da fita com ou sem os livros abertos. Se os alunos quiserem, poderão cantar também.

Alunos e professor, ouvidas as músicas, poderão conversar sobre o conteúdo das mesmas. **Ronda** propicia considerações sobre aspectos do centro da cidade de São Paulo, além de discussões sobre o perfil psicológico da mulher e do homem que ela tão implacavelmente persegue.

Quem te viu, quem te vê sugere conversas em torno da formação de escolas de samba, do significado do carnaval para a população pobre, do anseio humano da escalada social. **A garota de Ipanema** sugere temas de beleza e de verão.

As perguntas à p. 237 poderão ser respondidas oralmente.

3.17.2.3. Texto Narrativo — Riquezas do Brasil: o café (2)

Preparação e apresentação do texto

O texto será lido pelos alunos com a ajuda do dicionário. Compreendido o texto, o professor fará várias perguntas a respeito do mesmo. Em seguida os alunos responderão às perguntas do exercício A.

O professor poderá também mostrar slides ou fotos de São Paulo para ilustrar o texto (a avenida Paulista antiga e a moderna, por ex.).

A partir do texto, poder-se-á encetar conversas sobre a vida dos fazendeiros paulistas e suas casas de fazenda, sobre o desenvolvimento da cidade de São Paulo e o impacto que a chegada dos imigrantes europeus e japoneses exerceu sobre ela.

3.18. Unidade 18

3.18.1. Conteúdo da Unidade

Textos

`• •`Diálogo: Como? Fala mais alto!
     `• •`Contexto: Divertimento
     Intervalo: Provérbios e símiles
     Texto Narrativo: A imigração e o povoamento do sul do
                   Brasil

Itens gramaticais

— Discurso Indireto: declarações, interrogações, ordens
— Voz passiva: analítica, com verbos auxiliares, com se
— Infinitivo pessoal dos verbos regulares e irregulares
— Regência verbal e nominal:
    I. Verbos seguidos de infinitivo: sem e com preposição
    II. Verbos seguidos de substantivo com preposição
    III. Adjetivos seguidos de preposição

Caderno de Testes:
Teste 9

3.18.2. Sugestões práticas para o ensino

3.18.2.1. Como? Fale mais alto!

Gramática

— Discurso indireto: declarações, interrogações, ordens
— Voz passiva:
    I. analítica
    II. com verbos auxiliares (**poder, precisar, dever, ter de,
       ter que**)
    III. com **se**

Estruturas
— ele me perguntou se eu queria sair — eu lhe respondi que sentia muito — eu lhe disse para não me levar a mal — à espera de que

Expressões
— está uma droga — ficar com pena — levar a mal

Preparação e apresentação do texto

Antes de ler o texto ou tocar sua gravação o professor poderá introduzir o discurso indireto.

A introdução do discurso indireto será feita através de um exercício comunicativo. O professor perguntará várias coisas aos alunos.

P: Maria, onde você mora?

M: Moro em Toledo.

P: Maria **diz** que **mora** em Toledo
ou: Maria **disse** que **morava** em Toledo.

Agora o professor escreverá as duas frases do discurso indireto na lousa e seguirá com as perguntas.

P: Onde moram vocês?

As: Moramos em Berlim.

P: Eles **disseram** que **moravam** em Berlim.
Peter o que foi que eles disseram?

A: (*Peter*) Eles disseram que moravam em Berlim.

P: O que você está fazendo hoje?

A: Eu estou estudando Português.

P: Ele disse que estava estudando Português. O que foi que ele disse?

A: Disse que estava estudando Português hoje.

E assim por diante.

Introduzido o discurso indireto, o texto será apresentado como sempre: os alunos ouvirão o texto duas vezes, com seus livros fechados. Pela terceira vez o diálogo será ouvido com os livros abertos. Depois das explicações necessárias à compreensão, os alunos lerão o diálogo.

Depois da leitura do diálogo, o professor fará várias perguntas a respeito do texto.

Explicação e prática dos itens gramaticais

Exercício A

A noção gramatical a ser desenvolvida é o discurso indireto no presente e no passado com declarações.

O professor introduzirá o assunto outra vez através de exemplos comunicativos:

P: **Estou** triste.
: Eu **disse** que **estava** triste.
: Ontem não **fiz** nada.
: Eu **disse** que não **tinha feito** nada ontem.
: Amanhã **escreverei** uma carta.
: Eu **disse** que **escreveria** uma carta amanhã.

Agora o professor explicará a correlação dos tempos do discurso direto e indireto.

Explicado o assunto, os alunos farão o exercício A por escrito.

Depois o professor fará um exercício adicional comunicativo. O professor perguntará várias coisas aos alunos no presente, passado e futuro.

Os alunos responderão às perguntas. Depois outro aluno repetirá o declarado empregando o discurso indireto no aspecto do passado.

Modelo:

P: O que vocé fez ontem?
A: Ontem eu fui à praia.
A: Ela disse que ontem tinha ido à praia.
P: Onde você mora?
A: Eu moro em Nova York.
A: Ela disse que morava em Nova York.
P: O que você fará amanhã?
A: Amanhã farei compras.
A: Ela disse que faria compras amanhã.

E assim por diante.

Depois os alunos farão perguntas entre si.

Exercício B

O item gramatical a ser desenvolvido é o discurso indireto com interrogações.

O assunto será introduzido através das frases do quadro no livro do aluno na p. 240. O professor explicará a formação e a correlação dos tempos na interrogação indireta. Explicado o assunto, o exercício B será feito por escrito.

Agora, os alunos farão um exercício adicional comunicativo.

O exercício será feito da mesma forma como o do discurso indireto com declarações. Um aluno fará uma pergunta e outro aluno a repetirá, empregando a interrogação indireta:

A: Você estuda Português?
A: Ele perguntou se ela estudava Português.

E assim por diante.

Exercício C

A noção gramatical a ser desenvolvida é a ordem no discurso indireto. O professor introduzirá o assunto através das frases do quadro à p. 240. Agora os alunos farão o exercício C por escrito. Depois farão um exercício adicional comunicativo.

Um aluno dará uma ordem em dircurso direto. Outro aluno a repetirá, usando o discurso indireto:

A: Fale mais alto!
A: Ele me disse para falar mais alto.

131

O discurso indireto deve ser tratado com muito cuidado por ser essa uma das dificuldades que o Português apresenta para o aluno estrangeiro.

Exercícios D, E

Os exercícios D e E encerram o assunto. Os exercícios serão feitos em grupos pequenos por escrito ou oralmente.

Feitos todos os exercícios o professor poderá fazer outros exercícios adicionais:

— o professor lerá ou distribuirá um diálogo aos alunos e esses deverão passar o diálogo para o exercício indireto.

— o professor mostrará à classe uma história em quadrinhos (como a do Cebolinha às p. 243-244) e os alunos passarão o diálogo para discurso indireto.

— os alunos verão um filme e o contarão empregando o discurso indireto.

Exercício A na página 245/246

O item gramatical a ser desenvolvido é a voz passiva.

Esta estrutura gramatical será introduzida através das frases do quadro às ps. 244/245. O professor escreverá cada frase na lousa e explicará a transformação na voz passiva. Em seguida, os alunos farão um exercício oral. Um aluno forma uma frase e outro aluno a transforma em voz passiva.

Terminado o exercício oral, os alunos farão o exercício A por escrito.

Exercício B na página 246/247

A noção gramatical a ser tratada é a voz passiva com verbos auxiliares.

O professor explicará a formação da voz passiva com auxiliares através do exemplo no livro do aluno à página 246.

Em seguida, será feito o exercício B.

Exercícios C, D

Os exercícios C e D encerram o assunto. Estes serão feitos por escrito, individualmente ou em grupos pequenos.

Exercício F

A estrutura gramatical a ser desenvolvida é a voz passiva com se.

O professor introduzirá a estrutura através de exemplos.

Depois da explicação, os alunos farão o exercício.

Exercícios F, G, H

Os exercícios encerram o assunto.

Todos os exercícios serão feitos oralmente.

3.18.2.2. Divertimento

Gramática

— Infinitivo pessoal dos verbos regulares e irregulares
— Regência verbal e nominal:
  I. Verbos seguidos de infinitivo: sem preposição e com preposição
  II. Verbos seguidos de substantivos com preposição
  III. Adjetivos seguidos de preposição

Estruturas — privar-se de — fartar-se de — render-se de
Expressões — se facilita — bocó

Carlos Drummond de Andrade nasceu em Itabira, Minas Gerais, em 1902. Poeta de quotidiano, do contexto familiar, da problemática social humana face à mecanização do mundo, cronista da vida contemporânea, é, sem sombra de dúvida, a maior figura da geração dos anos 30, e um dos mais significativos nomes do Modernismo brasileiro.

Ele não é conhecido apenas pelos seus poemas, mas também por suas crônicas, publicadas em vários jornais e revistas do país durante anos. Drummond é figura querida no Brasil. Sua morte, em 1987, entristeceu a nação

Preparação e apresentação do texto

Para a introdução do texto, o professor explicará através do desenho na p. 251 o conteúdo do mesmo. Em seguida, os alunos ouvirão o texto duas vezes através da fita ou de leitura feita pelo professor. Pela terceira vez, o texto será ouvido com os livros abertos. Depois das explicações necessárias à compreensão, os alunos o lerão. (Podem também usar o dicionário).

Compreensão e vocabulário

Exercícios A, B, C, D

Os exercícios A, B, C e D visam à fixação do vocabulário e à compreensão do texto. Os exercícios serão feitos normalmente.

Exercício E

O Subjuntivo é repetido no exercício E.

Antes de fazer o exercício o professor deverá explicar as formas **tomarem, virem** para garantir a compreensão das frases. O exercício será feito oralmente.

Exercício F

No exercício F a voz passiva é retomada. O exercício será feito oralmente.

Exercício G tem a finalidade de fixar o vocabulário. Os alunos preparam a cena. Depois narram na aula.

Explicação e prática dos itens gramaticais

Exercício A

A formação e o emprego do Infinitivo Pessoal são introduzidos aqui.

O Infinitivo Pessoal é uma estrutura gramatical muito difícil por não encontrar paralela em outras línguas. Seu emprego não está bem definido, de modo que muitas vezes somos guiados apenas pela clareza da frase.

O professor introduzirá o assunto através de frases:
É bom vocês tomarem o primeiro avião e virem direto para esta rua já conhecida dos dois.
Eu explico o Infinitivo Pessoal para vocês compreenderem o assunto.
E assim por diante.

O professor deverá fazer várias frases. Depois os alunos deverão formar suas próprias frases.

O professor escreverá dois exemplos na lousa. Em seguida os alunos farão o exercício A por escrito.

O professor introduzirá o assunto através de frases:
É bom vocês tomarem o primeiro avião e virem direto para esta rua já conhecida dos dois.
Eu explico o Infinitivo Pessoal para vocês compreenderem o assunto.
E assim por diante. O professor deverá fazer várias frases. Depois os alunos deverão formar suas próprias frases.

O professor escreverá dois exemplos na lousa.

Em seguida os alunos farão o exercício A por escrito.

Exercícios A, B, C, D nas páginas 256-258

A noção gramatical a ser desenvolvida é a regência verbal e nominal de verbos seguidos de infinitivo com e sem preposição, de verbos seguidos de substantivo com preposição e de adjetivos seguidos de preposição.

Antes de fazer os exercícios os alunos abrirão seus livros na página 255/256. O professor explicará as diversas categorias. Em seguida os alunos farão com cada verbo ou adjetivo uma frase.

Em seguida, farão os exercícios por escrito sozinhos ou em grupos pequenos.

Agora o professor poderá fazer um exercício adicional. Ele escreverá cada verbo e cada adjetivo num papel, omitindo a preposição. Na aula, então, mostrará aos alunos cada vez um papel e um aluno deverá fazer uma frase empregando o verbo ou adjetivo indicado.

Intervalo — Provérbios

O professor explicará todos os provérbios através de exemplos.

Então os alunos deverão fazer frases contextualizadas.

Depois, os alunos abrirão os livros, cobrirão o texto e adivinharão que provérbios se enquadram a cada um dos desenhos.

Agora os exercícios A e B serão feitos.

3.18.2.3. Texto Narrativo — A imigração e o povoamento do sul do Brasil

Preparação e apresentação do texto

O texto será lido pelos alunos sem preparação nenhuma. Eles lerão o texto com a ajuda do dicionário e farão o exercício A.

Depois o texto será lido outra vez em voz alta.

Agora os alunos poderão falar sobre os grupos estrangeiros em seus países (se são imigrantes ou não, de que países vêm etc.).

Poder-se-á também falar sobre a influência dos estrangeiros no desenvolvimento da economia dos países dos alunos. Também poder-se-á discutir se para o Brasil a imigração foi boa ou má.

Terminada toda a unidade, será feito o Teste 9 do caderno de Testes.

4. Textos para os exercícios de compreensão oral do caderno de testes

4.1. Texto para o teste 4

Antigamente as máquinas de lavar roupa eram melhores do que as máquinas modernas. Nós íamos à loja e conversávamos com o vendedor. Ele nos dava todas as informações que queríamos. Depois, escolhíamos a máquina mais interessante. Pagávamos sempre a vista. A máquina chegava à nossa casa no dia seguinte e começava a trabalhar, trabalhar, trabalhar. Trabalhava dez, quinze anos sem quebrar, sem nos trazer problemas.

Hoje em dia é diferente. Compramos uma máquina de lavar e, antes de pagarmos a última prestação, já estamos pensando em comprar outra.

As máquinas modernas são complicadas e têm vida curta. Depois de dois anos de trabalho, elas, muitas vezes, não têm mais conserto.

4.2. Texto para o teste 6

Morumbi — espetáculo à altura do público

O Morumbi é o maior estádio de futebol de São Paulo. Quando há jogos de final de campeonato, não só os jogadores no gramado, mas também o público apresentam espetáculos surpreendentes. Todos os lugares ficam ocupados e, no meio de muito barulho e muita alegria, centenas de bandeiras, com as cores dos times são agitadas para lá e para cá.

Às vezes, porém, o espetáculo não é muito bom: os times jogam mal, não há gols, não há entusiasmo. Os torcedores, nessas ocasiões, saem tristes do estádio.

Ontem, porém, um domingo tão bonito, o Morumbi viveu uma tarde de glória.

Os dois times, com muita vontade de vencer, deram um espetáculo maravilhoso, à altura do público que lá estava, com suas bandeiras, na maior alegria.

4.3. Texto para o teste 9

Dona Bianca pôs o Nino na caminha de ferro. Ele ficou com uma perna fora do cobertor.

Então o Natale entrou assobiando. A mulher olhou para ele. Percebeu tudo.

Perguntou por perguntar:

— Conseguiu?

Natale segurou-a pelas orelhas, quase encostou o nariz no dela.

— Diga se tenho cara de bobo!

Contente da vida, deu um empurrão em Dona Bianca, virou-se, deu um soco na mesa, saiu e voltou com uma garrafa de vinho.

Dona Bianca deitou-se sem apagar a luz.

Olhou muito para o Nino, que dormia de boca aberta. E fechou os olhos para se ver no palacete mais caro da avenida Paulista.

5. Bibliografia

— Conversações de todos os dias, Stuttgart, 1985.

— Coutinho, Afrânio / Coutinho, Eduardo de Faria. *A literatura no Brasil*, Vol. 1-6, Rio de Janeiro, Niterói, 1986.

— Geo Spezial, Hamburg, 1988.

— Gladestone Chaves de Melo. *A língua do Brasil*, Rio de Janeiro, 1981.

— Gladestone Chaves de Melo. *Os "brasileirismos"* de Frei Luis de Sousa, Niterói, 1985.

— Hundertmark–Santos: Portugiesische Grammatik, Tübingen, 1982.

— Leme / Serra / Pinho: Assim se escreve... Gramática / Assim escreveram Literatura Portugal-Brasil, São Paulo, 1981.

— Napoleão / Mendes de Almeida: Gramática metódica da língua portuguesa, São Paulo, 1988.

— Pollmann, Leo: Geschichte des lateinamerikanischen Romans, Berlin, 1984.

— Rostock, Helmut: Lehrbuch der portugiesischen Sprache, Leipzig, 1988.

— Schemann / Schemann-Dias: Dicionário idiomático português-alemão, München.

— Straußfeld (Hrsg.): Brasilianische Literatur, Frankfurt, 1984.

— The New Grove Dictionary of Music and Musicians, Vol. 2, London, 1980.

Sue P. Prank

O CAMINHO MENOS TRILHADO
Romance

104 p., 14 x 21 cm, ISBN 85-12-00370-7

Katharina Seidel, alta funcionária do departamento jurídico de um Banco suíço, se surpreende com a possibilidade repentina de refazer sua vida sentimental.

O Caminho Menos Trilhado narra as circunstâncias pessoais desta mulher esclarecida e sensível, que estava prestes a se deixar vencer pela perplexidade e pelo pessimismo, quando se apaixona "mais uma vez" e descobre que ainda tem toda a vida pela frente.

Divorciada há mais de dez anos, independente e corajosa; atéia, mas impregnada de uma religiosidade secular e mundana; moderna, mas sem renegar uma tradição cultural que lhe é cara, Katharina se arrisca a enfrentar de novo o medo de amar e protagoniza uma história de amor entre dois seres de temperamentos diferentes que decidem viver juntos, porém separados.

Em grandes pinceladas o livro descreve:

O passado no presente: a sedução ainda constante do ex-marido (Giorgio); a evocação lírica de um amor de adolescência (Stefan); a amargura de um amor frustrado (Gregory). Mas também: *um caos no coração*, a esperança energizante e renovadora do *presente*, o encontro com um homem inteligente e liberal (Nick), que com seu amor descontraído transforma a realidade e delineia um novo projeto de vida para Katharina.

Sue P. Prank

TEMPO DE TENTAÇÃO — UMA ANTOLOGIA AMOROSA

208 p., 14 x 21 cm, ISBN 85-12-003103

Uma paixão veemente. O drama de um coração dilacerado entre o "eterno retorno do mesmo" e o amor pelo único e irrepetível.

Tomando como ponto de partida um amor infeliz, Sue P. Prank reúne uma coleção de máximas clássicas de todos os tempos e reflexiona sobre a vida e a morte, o amor e o destino, a felicidade e a dor. Reflete também sobre o otimismo e a esperança, pois cada um de nós, como outra ave Fênix, pode renascer das cinzas para construir um futuro mais feliz.

Cultura vastíssima, ressonância de poetas e filósofos: em cada frase Sue P. Prank demonstra a sua formidável bagagem intelectual; cada página é um pequeno ensaio que traz o eco de um pensamento universal. Mas, por baixo da erudição, "o coração anseia por um objeto palpável". Todos os lemas e poemas, *reproduzidos no idioma em que foram escritos*, se publicam traduzidos numa versão feita diretamente sobre os textos originais.

Tudo já foi dito: não há nada novo sob o sol. Mas é sempre novo o sentimento que inflama o coração dos apaixonados.

LIVROS E.P.U.:
EXPERIÊNCIAS
QUE SE PODEM COMPRAR

Antonio Carlos Pacheco e Silva Filho

CINEMA, LITERATURA, PSICANÁLISE

112 p., 14 x 21 cm, ISBN 85-12-00400-2

A sensibilidade intuitiva, existente em grau maior nos grandes escritores e em vários diretores de cinema, faz com que eles, sem que o percebam, entrem em contato com fantasias inconscientes universais, as quais se tornam o conteúdo latente de suas obras.

Freud reconheceu que os grandes escritores mostraram "saber" da existência do inconsciente muito antes de este ser descoberto e colocado sob um enfoque científico pelo próprio Freud.

Escritores e poetas, principalmente os "herméticos", revelam o mesmo "conhecimento", assim como os dramaturgos, a começar pela Grécia Antiga, com seus mitos, fonte inesgotável de inspiração e sabedoria. Sófocles, Cervantes, Shakespeare, Dostoievski, Valéry, Kafka, Borges podem ser citados, à guisa de exemplo.

O mesmo pode ser dito de cineastas intuitivos do inconsciente, como Buñuel, Pasolini, Bergman, Fellini, Bolognini, Polanski, Spielberg etc.

Sumário: A influência do inconsciente em obras literárias e cinematográficas. O cinema atual como reflexo da alienação sexual da humanidade. E. T. Sobre os "vídeo-idiotas": Muito além do Jardim. O cinema de terror. O Belo Antonio. Morangos Silvestres. O Inquilino. E la Nave Va. Belle de Jour. Pretty Baby. Dona Flor e seus Dois Maridos. Anjo Exterminador. O Cemitério à Beira Mar. D. Quixote de la Mancha. O Pequeno Príncipe. Teorema. Gradiva. Os Últimos Dias. O Caso Schreber. Sonhos, Memórias, Reflexões. Os Seres Imaginários.

Regis de Morais

O QUE É ENSINAR

72 p., formato 14 x 21 cm   ISBN 85-12-70160-9

Ensinar é um projeto difícil, mas comprovadamente possível. Porque o ensino, ao contrário do que pensam alguns, existe. É preciso não querer enxergar para não ver que muitas situações e pessoas ensinam. Estas páginas pretendem contribuir para a reflexão sobre o que seja ensinar, sem a pretensão de oferecer receitas de como ensinar. Na verdade, o *ensino* supera a instrução de conteúdos, sem, contudo poder prescindir da "matéria dos programas". E as relações pedagógicas acabam por marcar com um sinal (às vezes negativo, mas muitas outras positivo) a personalidade de alguém que tem um caminho sempre importante a percorrer no mundo dos homens.

Índice. Desafios e dificuldades de um tema. O ensino existe. Armadilhas políticas e conspirações. Ensinar. A questão dos conteúdos. O contexto das relações pedagógicas. Indicações para leitura.

Edições Loyola

RUA 1822, 347
IPIRANGA
SÃO PAULO SP
IMPRESSÃO